Uma pedagogia do CORPO

O VALOR DO PROFESSOR

Gabriel Perissé

Uma pedagogia do CORPO

2ª edição

autêntica

Copyright © 2020 Gabriel Perissé
Copyright © 2020 Autêntica Editora

Todos os direitos reservados pela Autêntica Editora. Nenhuma parte desta publicação poderá ser reproduzida, seja por meios mecânicos, eletrônicos, seja via cópia xerográfica, sem a autorização prévia da Editora.

EDITORAS RESPONSÁVEIS
Rejane Dias
Cecília Martins

REVISÃO
Bruna Emanuele Fernandes
Samira Vilela

CAPA
Diogo Droschi

DIAGRAMAÇÃO
Guilherme Fagundes
Waldênia Alvarenga

Dados Internacionais de Catalogação na Publicação (CIP)
(Câmara Brasileira do Livro, SP, Brasil)

Perissé, Gabriel
   Uma pedagogia do corpo / Gabriel Perissé. – 2. ed. – Belo Horizonte : Autêntica Editora, 2020.

   ISBN 978-85-513-0750-2

   1. Educação - Estudo e ensino 2. Educação - Filosofia 3. Existencialismo 4. Pedagogia 5. Professores - Formação I. Título.

19-31751   CDD-370.1

Índices para catálogo sistemático:
1. Educação : Filosofia 370.1

Maria Alice Ferreira - Bibliotecária - CRB-8/7964

Belo Horizonte
Rua Carlos Turner, 420
Silveira . 31140-520
Belo Horizonte . MG
Tel.: (55 31) 3465 4500

São Paulo
Av. Paulista, 2.073, Conjunto Nacional, Horsa I
23º andar . Conj. 2301 . Cerqueira César
01311-940 São Paulo . SP
Tel.: (55 11) 3034 4468

www.grupoautentica.com.br

Sumário

- 7 **Sobre a coleção**
  O valor do professor
- 9 **Introdução**
  O corpo docente

- 21 **30 palavras-chave para entender o corpo docente**

- 23 Alimentação
- 26 Audição
- 29 Bebida
- 32 Beleza
- 35 Boca
- 38 Cabelos
- 41 Cérebro
- 44 Coluna
- 47 Coração
- 50 Dentes
- 53 Dor
- 56 Estômago
- 59 Fígado
- 62 Gestual
- 65 Intestinos
- 68 Lazer
- 71 Mãos
- 74 Morte
- 77 Músculos
- 80 Olfato
- 83 Ossos
- 86 Pele
- 89 Pés
- 92 Pulmões
- 95 Roupas
- 98 Sangue
- 101 Sexualidade
- 104 Sono
- 107 Visão
- 110 Voz

- 113 **Conclusão**

- 117 **Referências**

- 121 **Projeto da coleção**

Sobre a coleção
O valor do professor

Um dos maiores desafios da educação no século XXI está em formar e atualizar nossos professores, especialmente no que diz respeito à sua formação continuada. Além da formação inicial e da experiência própria, é necessário que todo docente reflita com frequência sobre sua prática cotidiana e que entre em contato com leituras que o ajudem a se aperfeiçoar como ser humano, cidadão e profissional.

Para que sua formação seja realmente continuada, a coleção O valor do professor apresenta 12 temas que o acompanharão durante 12 meses. Em cada volume da coleção, capítulos breves abordam questões relativas ao cuidado consigo mesmo, à pesquisa, à didática, à ética e à criatividade. São trinta capítulos, um para cada dia do mês, acompanhados por sugestões práticas e bibliografia para aprofundamento.

Em *Uma pedagogia do corpo*, título de estreia da coleção, descobrimos que o corpo é uma pedagogia a ser lida, entendida e praticada. Ele não apenas fala, mas, sobretudo, nos ensina a ensinar. Analisando as diferentes dimensões do corpo (a voz, a coluna, os pés, o cérebro, a audição, os gestos etc.), podemos potencializar significativamente nossa capacidade de comunicação e nossa presença, desenvolvendo competências fundamentais para desempenhar melhor a tarefa docente.

Introdução
O corpo docente

A princípio, a expressão "corpo docente" faz pensar no conjunto de professores que trabalha num estabelecimento de ensino.

Mas esse aspecto institucional da vida dos professores não é o nosso foco agora.

Antes ainda de designar um grupo específico de profissionais (uma corporação), a palavra "corpo" remete ao campo da anatomia. O corpo é a estrutura material de um organismo vivo.

O corpo humano, com sua impressionante complexidade, possui uma série de funções mecânicas, físicas e bioquímicas, além de inúmeras possibilidades cinéticas e estéticas. Essas funções e a atualização constante dessas possibilidades são os sinais visíveis de que uma pessoa está viva.

Para além do que ensinam a anatomia, a fisiologia e a química orgânica, o corpo é também a primeira manifestação da pessoa inteira.

O que sentimos, pensamos e desejamos "por dentro" evidencia-se "por fora", em nosso corpo. Se eu experimento alegria ou raiva, medo, entusiasmo ou decepção, é no corpo que tudo isso transparece.

Ou, melhor dizendo, *eu sou o meu corpo*, e então eu estarei alegre "por dentro" e corporalmente alegre, ou assustado "por dentro" e corporalmente assustado, ou com raiva, decepcionado, perplexo, entusiasmado "por dentro" e corporalmente com raiva, decepcionado, perplexo, entusiasmado.

Da cabeça aos pés

A expressão "corpo docente" designa o próprio corpo do professor.

Estamos falando aqui de um corpo que ensina e avalia, que aprende e educa, que orienta e é orientado.

Mais do que mero instrumento "usado" para o ato de ensinar, é o corpo do docente que vai ensinar, educar, orientar, avaliar.

Os professores ensinam (e aprendem) da cabeça aos pés.

É claro que, sob uma visão não materialista da vida, o espírito tem prioridade sobre a matéria, mas acontece que somos seres corporais e espirituais, e o único modo de acessarmos o mundo espiritual é por meio da realidade material, de coisas palpáveis, de sinais visíveis, de sons, cheiros e sabores.

O nosso modo de aprender e ensinar, de obter conhecimento, de ter ideias e elaborar raciocínios é sempre espiritual e corporal. Vemos o invisível através do visível. O que está oculto nas palavras, seu significado, fica patente na letra impressa, ou audível na palavra pronunciada. E, por meio da imaginação, criamos imagens mentais que nos ajudam a entender o que é incorpóreo.

Uma premissa a se estabelecer aqui e agora é a de que não cabe a afirmação de que somos "espíritos" presos dentro da matéria.

Para os antigos filósofos gregos – e Platão foi um dos maiores expoentes dessa visão –, o corpo era a sepultura da alma. Tal ideia parecia confirmada pela própria semelhança entre as palavras gregas *sôma* ("corpo"; dela deriva o termo "somático") e *sêma* ("sepultura", "túmulo").

O espírito estaria sendo punido por seus erros, pagando por suas dívidas ontológicas e morais dentro desta prisão corporal.

De acordo com uma diferente concepção antropológica (não platônica e, recentemente, muito bem desenvolvida pela filosofia personalista e por alguns pensadores, como Gabriel Marcel), nosso corpo compõe uma só realidade com o nosso espírito, com o princípio vital que anima toda a nossa estrutura material.

Segundo essa concepção, em que *eu sou meu corpo* (e não simplesmente *tenho um corpo* ou *sou dono de um corpo*), o corpo docente, portanto, não é uma máquina "pilotada" por um mestre interior, mas é mediante o próprio corpo docente, visível, material, que temos acesso ao invisível: informações, ideias, conceitos, valores.

Isso põe em evidência a importância da voz, dos gestos, dos movimentos, das feições do rosto, da postura física, do modo de andar etc.

Na arte de ensinar, precisamos cuidar do corpo, pois é com o corpo que praticamos essa arte.

Certa vez, uma professora ia entrando em sala de aula, quando foi abordada pela diretora da escola. "Ei! Você vai entrar assim?", perguntou a diretora, segurando-a pelo braço. "Assim como?", disse a professora, sem saber o que poderia haver de errado. "Assim, sorrindo?!", respondeu, assustada, a diretora, para quem o sorriso era um claro sintoma de fraqueza...

O sorriso é a manifestação física de uma experiência espiritual. Manifestação e experiência se conjugam na mesma pessoa que sorri. O sorriso docente expressa uma doação interior que enche de alegria quem se entrega de corpo e alma à tarefa de ensinar.

O corpo docente, portanto, precisa ser cuidado para que possa ensinar melhor. É esse o nosso foco aqui. E, para nos acercarmos adequadamente desse tema, precisaremos fazer algumas perguntas e, a partir delas, traçar alguns caminhos ao longo das próximas páginas.

Como entender melhor o corpo docente para cuidar melhor dele e, dessa forma, ensinar melhor?

O que significa *eu ser um corpo docente*?

Como suscitar as energias do corpo para ensinar com mais disposição e lucidez?

O que fazer, que atitudes tomar, que hábitos desenvolver para cuidar melhor do corpo docente?

Ensinar é uma ação que realizamos com tudo o que somos, pondo em atividade todos os nossos recursos e possibilidades. Para trabalharmos na docência, é imprescindível estarmos física, mental e espiritualmente preparados, atentos, bem-dispostos.

Corpos que dormiram mal ensinam mal.

Corpos mal alimentados têm dificuldade para ensinar com criatividade.

Corpos adoecidos ou maltratados precisam recuperar-se para que a tarefa docente seja realizada com empenho e prazer.

Minhas decisões profissionais como professor, no sentido de realizar alguma ação docente, exigem que o meu corpo "acompanhe" essas decisões, e as ações e reações do meu corpo devem, em tese, estar em sintonia com meu modo de interpretar o mundo e de engajar-me na ação docente.

Tal harmonização será um dos efeitos importantes do cuidado com o corpo.

Mais do que meu "amigo", *meu corpo sou eu mesmo* em minha dimensão material, por cuja saúde eu sou responsável, cujas energias devo ativar e manter, e cujo aspecto estético merece a minha atenção e desvelo.

Não é de forma alguma aceitável que uma pessoa diga que vai "esquecer" do seu corpo, como se isso provasse alguma superioridade intelectual, moral ou religiosa.

O corpo não é algo que eu possa colocar de lado, porque não é "algo", não é um "acessório" mais ou menos útil.

O meu corpo sou eu.

Cuidando do meu corpo, estou cuidando de mim mesmo enquanto pessoa em sentido pleno.

Assim como não podemos considerar virtuoso o descuido do próprio corpo, não será egoísmo mantê-lo ágil, forte e flexível. Será, na verdade, uma demonstração de legítimo amor-próprio. E esse amor-próprio na vida dos professores é condição *sine qua non* para a boa realização do seu ofício de ensinar.

Cuidar do meu corpo é cuidar de mim – e cuidar de mim é cuidar das minhas aulas.

As antigas e modernas sabedorias procuram ouvir o que o corpo diz, pois o que ele comunica é o que eu mesmo, no fundo, estou dizendo. A linguagem do corpo é a minha linguagem pessoal.

Pode ocorrer, e de fato ocorre, que eu diga uma coisa "da boca para fora", e meu corpo diga algo diferente. Afirmo, por exemplo, que "estou feliz", e meu corpo sinaliza o contrário, demonstrando que "estou infeliz". Essa desconexão, não percebida e não sanada, causa ainda mais infelicidade.

A incongruência entre o "dentro" e o "fora" recomenda que cuidemos de nós mesmos de modo integral.

Uma pedagogia do corpo

Tendo essas considerações em mente, vamos dar mais um passo.

Precisamos assegurar como inegável a importância do cuidado com o corpo docente. E o próprio corpo está interessado em nos dizer isso e em nos encaminhar para essa direção.

O corpo é *uma pedagogia* a ser depreendida, entendida e praticada.

O corpo não apenas fala, mas sobretudo ensina quando fala. Um desses ensinamentos é o de que o *corpo docente* pode se tornar um *corpo doente*. E esse é um aviso fundamental.

As doenças estão relacionadas com valores emocionais, com decisões de vida, com nosso sistema de convicções, com nossos contextos existenciais, com nossos relacionamentos afetivos.

O adoecimento formula a pergunta: "O que você está fazendo de errado ou permitindo que se faça de errado com você para que essa doença aconteça?".

Uma forte e insistente dor de cabeça, em geral, além de suas incontestáveis causas físicas, indica problemas que transcendem o nível meramente orgânico, pois, conforme vimos, não somos apenas uma realidade material.

Não somos apenas uma cabeça em que se sente uma dor terrível, mas uma pessoa que sente essa dor e a considera terrível. É provável que uma dor de cabeça fortíssima aponte para uma situação vital a ser analisada, avaliada com honestidade e corrigida.

No seu livro *Enxaqueca*, Oliver Sacks recolhe uma série de relatos em que fica evidente que essas fortes crises de cefaleia estão associadas ao cotidiano concreto das pessoas. O que vale para a enxaqueca pode valer igualmente para todas as doenças.

Certamente, uma abordagem estritamente médica, que nega à enxaqueca a condição de doença psicossomática, dará ênfase às causas fisiológicas e ao tratamento farmacológico. Sacks, porém, faz-nos ver que um quadro clínico específico remete sempre a um panorama de vida. Pesquisas que levam em conta esse panorama mais abrangente chegam a identificar "personalidades enxaquecosas", caracterizadas como perfeccionistas, intolerantes, rígidas e excessivamente ordeiras.

Personalidades com essas características estariam sujeitas a um grande esgotamento físico e mental, que teria a enxaqueca como uma expressão sua na dimensão material.

Um exemplo? O poeta e diplomata pernambucano João Cabral de Melo Neto, conhecido por sua estética perfeccionista, obsessivamente rigorosa na escolha das palavras, foi um enxaquecoso. Sua ânsia por deixar tudo literariamente em ordem e compor uma poesia impecável estaria relacionada a sua enxaqueca permanente.

Tentando driblar a dor, tomava cerca de dez comprimidos de aspirina por dia. Foi assim ao longo de quatro décadas. Essa quantidade absurda de medicação – de automedicação – provocou-lhe então uma grave úlcera no estômago, e João Cabral precisou submeter-se a uma cirurgia. Curiosamente, após dois meses e meio na UTI, não passou por mais nenhum episódio de enxaqueca. Como explicar essa misteriosa cura?

No livro de Sacks, com base em casos médicos devidamente registrados, o autor faz a seguinte conjectura: o desaparecimento da enxaqueca costuma ocorrer quando surge uma doença grave na vida do enxaquecoso, e essa doença "nova" atrai cuidados médicos, apoio familiar e inesperada solidariedade social, contribuindo para a supressão de uma série de tensões habituais e "libertando", enfim, o paciente, de uma longa história de sofrimento. O perfeccionista descobre outro modo de ver, viver e conviver.

Esse e outros tipos de fatos "misteriosos" no âmbito da saúde do corpo nos ensinam como são limitadas, embora válidas, as análises puramente fisiológicas e bioquímicas.

O mistério é aquilo que transcende os problemas e as soluções relacionadas a tais problemas.

O mistério exige outras "soluções", a partir de outra racionalidade. É isso o que o corpo, como pedagogia, nos diz: cada pessoa é um microcosmo complexo, riquíssimo em possibilidades, a ser valorizado de modo integral.

Conforme insiste o sociólogo e pedagogo Pedro Demo, ser professor é cuidar para que o aluno aprenda a aprender.

O corpo docente ensina ao próprio docente o que é ser uma pessoa. A pedagogia do corpo deve ser depreendida por nós, a partir de uma reflexão sobre a nossa própria experiência. Diariamente, experimentando nossos desejos e frustrações, nossas limitações e forças, nossas doenças e capacidades, aprendemos o que aprendeu o personagem do livro *Diário de um corpo*, do escritor francês Daniel Pennac.

Esse autor cria em seu texto uma anatomia literária do corpo humano. A vida corpórea encontra-se no centro de tudo: reações e descobertas, surpresas e rotinas, dor e prazer, beleza e escatologia. Um diário íntimo, mas não no sentido convencional, de "confissões do eu". O corpo é o de um homem que viverá até os 87 anos de idade e que registra a memória e a consciência de ter/ser um corpo. Os registros partem da infância e chegam aos últimos momentos de vida. Vale a leitura!

As descrições de Pennac, com seu refinado estilo, revelam com realismo o estado de espírito do corpo nas diferentes, e sempre concretas, situações vitais.

A biografia do corpo é a biografia do personagem.

A aguda autopercepção do corpo tematizada por Pennac coincide com alguns conceitos fundamentais a respeito da corporeidade, segundo uma visão personalista, aberta ao mistério.

Quando refletimos sobre o nosso corpo, refletimos sobre nós mesmos, percebendo duas realidades pessoais na mesma realidade da pessoa. Pennac faz o personagem olhar-se no espelho e refletir sobre sua vida.

O autor nos ajuda a pensar na existência de um "eu" (*je*) que observa o corpo, e de um "mim" (*moi*) que é observado enquanto cresce, ama, trabalha, pensa. É por isso que *eu penso em mim*.

Em outras palavras, observando "de fora" o meu corpo, eu percebo nele toda a minha realidade pessoal.

O "eu", que se afasta do corpo para observá-lo e observar-se, descobre-se na própria exterioridade do corpo. A exterioridade física replicada nos espelhos revela que o mistério do corpo é o mistério do próprio existir de uma pessoa.

De fato, há algo no corpo que reflete não só um "dentro espacial", mas, forçando um trocadilho, um "dentro *especial*". Se o ser humano fosse apenas um corpo-objeto, uma coisa, bastaria "consertar" a pessoa doente como se conserta qualquer objeto.

Mas a pessoa humana é um ser relacional e simbólico, e o corpo (o que há de visível, mensurável, tangível etc. no ser humano) faz parte dessa condição relacional e simbólica. A explicação mecanicista do corpo não nos satisfaz, pois o próprio corpo, finito, nos sugere fortemente algo de infinito.

O protagonista do *Diário de um corpo* experimenta a estranheza, sentimento que tem afinidade com a admiração filosófica. O *mirandum* (o que é digno de admiração) suscita abertura para o mistério. O corpo é uma realidade admirável, não somente por sua "engenharia natural", mas sobretudo por sua dimensão mistérica.

A consciência de nossa condição como seres corpóreos (mas não apenas materiais) desperta a vontade de cuidarmos do nosso corpo, não como quem cuida de uma "coisa" que lhe pertence, mas que vê isso como um caminho concreto e realista para se tornar quem realmente é.

As trinta palavras-chave que agora se seguem correspondem a um trajeto de compreensão do corpo humano que irá se desdobrar em trinta sugestões de exercícios e atitudes práticas com relação ao cuidado corporal.

Não há aqui, nem de longe, e é preciso deixar isso bem claro, qualquer pretensão de substituir a ciência médica ou oferecer algum tipo de terapia alternativa (menos ainda uma solução definitiva) para problemas que extrapolam os objetivos próprios de uma pedagogia do corpo.

O que se procura, em suma, é ouvir o que o nosso próprio corpo ensina e, em coerência com esse ensinamento, valorizar o corpo docente.

30
**PALAVRAS-CHAVE
PARA ENTENDER
O CORPO DOCENTE**

Alimentação

Certo comediante costumava repetir a mesma piada sem graça: "Que estranho! Depois que eu almoço a minha fome sempre vai embora!".

A fome nos faz lembrar da necessidade existencial da alimentação. Devidamente alimentados, a vontade de comer desaparece, e conseguimos dedicar o melhor de nossa atenção às atividades diárias... até que o alarme soe e a fome venha cobrar de novo o seu tributo.

Em quantidade e qualidade adequadas, a alimentação contribui para nossa boa saúde, nossa produtividade e nosso aprendizado. Daí a importância de cuidarmos de nossas refeições, com a intenção não apenas de matar a fome, mas de nutrir o corpo para que possamos viver e trabalhar melhor.

Além de nutritiva, a comida precisa ser saborosa. Esse "detalhe" dá também sabor à vida.

A cultura alimentar de um povo e de cada indivíduo deve reunir quantidade conveniente, qualidade nutritiva e prazer gustativo. Cuidar desses três aspectos cria estabilidade para o corpo... e nos ajuda em tudo mais.

O prazer gastronômico pode contribuir para reeducar nossa gula.

O médico e psicoterapeuta Flávio Gikovate fazia notar como era absurdo o comportamento de alguém que, morrendo de fome, aproveitasse o aperitivo para colocar na boca vinte amendoins ao mesmo tempo.

Que, por querer se saciar rapidamente, perdia a chance de ter várias vezes o mesmo prazer (até mesmo vinte vezes, ou mais, se quisesse), comendo os amendoins um a um.

Mas gula não é apenas comer demais até o ponto de sentir-se literalmente cheio. Gula é alimentar-se mal, desenvolvendo vícios de vários tipos, que estão, por sua vez, ligados a formas de comportar-se, de conviver e de interpretar a realidade.

"FAZ DO TEU ALIMENTO O TEU REMÉDIO."

(Hipócrates)

Comer de menos também é ruim, e pode estar associado à anorexia, por exemplo.

Comer com pressa e sofreguidão é algo comum na vida de pessoas que enfrentaram no passado muitas necessidades ou que pensam o dia todo e todos os dias em... comida.

Se comer num ritmo excessivamente lento, por outro lado, pode revelar quadro depressivo, essa lentidão, quando estamos acompanhados à mesa (segundo o monge Anselm Grün), atesta uma forma sutil de agressividade para com os outros, que precisarão submeter-se àquela nossa excessiva morosidade.

O segredo do alimentar-se bem está em agir com naturalidade, como em tantas outras dimensões da vida humana. Nem desprezar nem valorizar exageradamente a questão da alimentação. Nem idolatrar certos alimentos nem execrar – tornando ainda mais tentadores – determinados pratos.

Também nesse assunto, a sabedoria dos antepassados continua vigente ainda hoje. O alimento como remédio a ser "tomado" com regularidade e inteligência, conforme dizia Hipócrates, nos ajuda a permanecer saudáveis.

Relembrando as recomendações que ouvíamos quando éramos crianças sobre a quantidade, a qualidade, a variedade e a regularidade da alimentação, cuidaremos melhor de nós mesmos.

Nem compulsão alimentar nem dietas infinitas e sofredoras.

Equilíbrio e bom senso são o melhor cardápio.

SUGESTÃO

Escolha alimentos saudáveis que sejam, ao mesmo tempo, saborosos para o paladar.

Audição

É preciso distinguir o ato de "escutar" do ato de "ouvir".

A audição que se limita a perceber os sons e ruídos é um "ouvir". Quando, além de ouvir, há uma especial atenção, há o desejo de acolher e compreender o que se ouve, a audição torna-se um "escutar".

Escutar é auscultar o coração da realidade, fazer silêncio para captar a vida pulsante, é tomar consciência de que as palavras têm sentidos diversos.

Ouvir é função inerente ao ouvido.

Escutar requer sensibilidade para valorizar o que se ouve.

"A VERDADE NASCE MEDIANTE A ESCUTA RECÍPROCA."

(Papa Francisco)

Se eu me limito a ouvir, a informação pode entrar por um ouvido e sair pelo outro.

Ao escutar uma pessoa da família, um amigo, um aluno, recolho suas palavras, procurando interpretá-las dentro de um contexto maior.

Se alguém me diz, por exemplo, que está cansado, de que tipo de cansaço estará falando? Um cansaço físico? Um cansaço psicológico, de quem está enfrentando algum problema? Ou um cansaço ainda mais profundo, espiritual, quando os caminhos da vida parecem todos intransitáveis?

Precisamos ouvir e ser ouvidos para além da audição meramente mecânica.

Precisamos escutar e ser escutados. Jean-Yves Leloup, no livro *O corpo e seus símbolos*, observou que Buda é representado com grandes orelhas, indicando sua capacidade de escutar a palavra e o silêncio.

A boa conversa tem que ser bidirecional entre duas pessoas e multidirecional num grupo maior. Todos têm direito a se manifestar. Papa Francisco, refletindo sobre a arte de escutar, fez ver que a verdade emerge do encontro entre as pessoas que se escutam de modo recíproco.

Há quem despreze o diálogo, praticando de preferência o monólogo ou, pior ainda, o duélogo. O monólogo tende a ser autoritário. O duélogo, além de autoritário, tende a fomentar polêmicas desnecessárias, atritos, e então vêm as grosserias, os gritos. O duélogo aposta na destruição da convergência.

Em geral, quem não escuta quer ter a última palavra e impor sua visão de mundo.

Professores que cuidam de sua audição aprendem a escutar os outros e, por isso, podem esperar que os outros os escutem também.

Numa reunião dialogada, todos aprendem verdades novas, experiências variadas, pois abrem seus ouvidos, suas mentes e seus corações para entender melhor o ponto de vista de cada um e a situação que preocupa a todos.

Numa aula dialogada, além do conteúdo a ser estudado, aprende-se a virtude democrática de escutar os diferentes. No futuro, os alunos saberão conviver com seus adversários, sem imaginar que estão diante de inimigos a serem eliminados.

A escuta não elimina. A escuta ilumina.

Daí a importância também de educar nossa audição com belas músicas e protegê-la da poluição sonora.

Uma outra excelente forma de cuidar de nossa audição é encontrar lugares silenciosos... e deixar que o silêncio nos diga o que precisamos escutar.

SUGESTÃO

Converse serenamente, com uma disposição de escutar maior do que a de falar.

Bebida

O que vale para a alimentação vale também para o que bebemos: qualidade, quantidade e regularidade. Sem excluir a diversidade.

Pensemos na variedade de sucos que podemos tomar. Se pesquisarmos, encontraremos dezenas de possibilidades, desde os sucos de laranja, de abacaxi, de limão, de caju, a combinações como os sucos de kiwi com pera, de maracujá com menta, de cenoura com laranja e gengibre... e outras tantas.

Não esqueçamos também da variedade de chás: o chá preto, clássico, o chá-mate, o de camomila, o de boldo... Existem mais de três mil tipos de chás!

Muitas vezes, por uma questão de hábito (ou comodismo...), recorremos aos refrigerantes artificiais. Consumidos em excesso, esses refrigerantes causam danos amplamente conhecidos à saúde. Vale a pena destacar um dos mais evidentes: o aumento de peso.

Tomar pequenas doses de bebida alcoólica pode ser útil para controlar a ansiedade, criar vínculos sociais, alegrar a vida, praticar um beber meditativo, mas todos sabemos o que significa ultrapassar os limites, embriagar-se ou mergulhar de cabeça no alcoolismo.

In vino veritas, diziam os antigos. A verdade vem à tona enquanto confraternizamos bebendo um bom vinho. Nesse encontro entre amigos, a sinceridade é exercida em uma atmosfera de confiança. Um brinde à vida e à educação!

Mas a frase latina tem um desdobramento: *In vino veritas... in aqua sanitas*. No vinho encontramos a verdade, e na água encontramos a saúde.

Para matar a sede ainda não se inventou nada melhor do que a água. No entanto, a água não é um recurso infinito. A escassez de água no mundo é uma das questões mais preocupantes em nosso tempo. Estudiosos contemporâneos alertam para a crise hídrica que estamos vivendo. Uma crise sem precedentes na história do planeta.

Essa situação alarmante torna a água potável ainda mais valiosa, para a saúde coletiva e para a de cada ser humano.

A educação para o cuidado da água, do ponto de vista ecológico, é fundamental. Por outro lado, a própria água que consumimos é fundamental para a saúde pessoal e social.

"A ÁGUA É A ORIGEM E A MATRIZ DE TODAS AS COISAS."

(Tales de Mileto)

Mais uma vez, precisamos pensar e agir com equilíbrio.

Os médicos já identificaram como transtorno psicológico o costume de ingerir líquidos com frequência e exageradamente. Trata-se da potomania. Potomaníacos podem beber de 20 a 30 litros de água por dia.

Bastam, por dia, para um adulto, de um a dois litros de água, ou seja, de quatro a oito copos, em horários estratégicos. Uma forma de perceber a necessidade de ingerir mais água é pela urina. Se estiver amarelo-escura, é hora de beber mais água.

No extremo oposto da potomania, há o que se chama de dipsofobia, aversão a beber. Quem chegasse ao ponto de "esquecer-se" de beber água e nem sentisse mais sede precisaria reeducar-se mentalmente, tomando consciência de que a água ajuda o sistema digestivo a funcionar de forma adequada, regula a temperatura corporal e auxilia na eliminação de toxinas – para citarmos apenas alguns dos seus muitos benefícios.

Como dizia o filósofo grego Tales de Mileto quinhentos anos antes de Cristo, a água é a matriz de todas as coisas. Esse pensador via o mundo como um ser vivente, cuja umidade (sinal de vida) poderia ser encontrada por toda parte.

Também nós somos assim: em boa medida, feitos de água.

SUGESTÃO

> Dê atenção à sede como um sinal claro de que o corpo está lhe pedindo um copo d'água.

Beleza

Todo corpo é belo, se assumirmos o pressuposto de que a beleza física consiste em estar em harmonia com seu próprio corpo.

Ou, pelo menos, mantendo sempre uma boa política de relacionamento com ele. O que, no fundo, tem a ver com nossa autoestima.

Em outras palavras, quando superamos o fascínio pelos modismos e idealizações momentâneos, somos tocados pela certeza de que o nosso corpo, exatamente este e não outro, é o melhor para nós, na medida em que nele encontramos tudo o que somos.

Mas isso não implica negar suas limitações, desproporções e eventuais disformidades.

Isso tampouco significa imaginar que não há o que melhorar em sua performance ou em seu aspecto exterior, abandonando o corpo *a sua própria sorte*.

A beleza corporal não está em reproduzir em nós, a qualquer preço, formas físicas associadas, em nossa imaginação, à força e à sensualidade. Essas duas qualidades, a propósito, não encerram todas as possibilidades de beleza integral do ser humano.

A luminosidade que irradia de uma pessoa, de seu sorriso, de sua maneira de falar (e da sabedoria com que fala), do modo como ouve o outro, de seu olhar, de seus gestos, da simplicidade de sua conduta, de sua simpatia, tudo isso compõe a beleza corporal, na medida em que é a beleza da pessoa enquanto pessoa.

Estabelecer uma divisão e oposição entre beleza interior (virtudes morais) e beleza exterior (formas físicas) não dá conta de nossa complexidade corpórea.

Tal maneira de pensar levaria alguém a dizer, talvez, que uma pessoa precisa compensar sua realidade externa menos favorecida (segundo os padrões de beleza atuais) pela beleza espiritual. Ou, por outro lado, que sua beleza exterior privilegiada (ou construída a duras penas) esconde um "conteúdo" de alma malévolo.

O ditado "Por fora bela viola, por dentro pão bolorento" seria um alerta para essa falsa aparência. Rubem Alves escreveu que sua missão como pensador e educador era "ver se a bela viola não passa de pão bolorento disfarçado". Ou seja: a viola mofada até instrumento musical já deixou de ser.

"A BELEZA PERVERSA SERIA O NOSSO FIM."
(Affonso Romano de Sant'Anna)

Viver do modo mais saudável possível, sem cair na obsessão pela saúde (que seria uma escravidão patológica) produz bem-estar, e o bem-estar colabora para um comportamento de alegria, empatia, convivência agradável.

Na convivência agradável, em que a amizade verdadeira e o amor autêntico se encontram, olhamos para os que nos rodeiam e os consideramos todos muito bonitos.

O ditado "Quem ama o feio, bonito lhe parece" aponta para a ambiguidade que existe na apreensão da beleza.

O amor não é cego. Vê tudo, interpretando o conjunto. A visão parcial perde o essencial.

No livro *Quando Nietzsche chorou*, o psicoterapeuta e professor Irvin D. Yalom faz o filósofo dizer que o amor deve ignorar deliberadamente "a feiura abaixo da pele: sangue, veias, gordura, muco, fezes... os horrores fisiológicos". Quem ama teria, assim, que arrancar os próprios olhos e renunciar à verdade.

No entanto, sem olhos, como poderia esse amante ver as belezas fisiológicas também existentes?

SUGESTÃO

> Olhe para seu próprio corpo, valorizando todos os seus aspectos e não só o que as propagandas comerciais aprovam.

Boca

Pela boca entram o alimento e a água, e dela saem os sopros de vida e das palavras, que alimentam os relacionamentos humanos.

Da boca sai o que habita nossa mente e nosso coração, para o bem e para o mal.

Podemos manter a boca fechada para guardar segredos, dar espaço para que outros falem, ou pô-la no trombone, protestar com veemência, para todo mundo escutar.

A boca simboliza a comunicação. A humanidade sempre foi educada na base do método boca a boca, da transmissão oral de informações entre as pessoas.

Uma transmissão que não pode ser da boca para fora, insincera, artificial. Que deve ser de dentro para a boca, e da boca para o ouvido atento dos nossos alunos e de quem mais quiser saber.

Por isso o poeta Fernando Pessoa dizia que a boca é um órgão social. A minha boca é um instrumento educacional, dedicado à expressão e aberto à interação. Temos o compromisso de falar e o direito de ser ouvidos.

Ao mesmo tempo, a boca é uma realidade ímpar. Na cabeça, temos dois ouvidos, duas narinas e dois olhos. A boca é uma só, o que lhe dá uma visibilidade especial e uma também especial responsabilidade. Ela não tem com quem dividir, digamos assim, a tarefa que lhe cabe. E não se trata apenas de falar. Da boca saem também nossas canções.

"A BOCA É O ÓRGÃO SOCIAL DE EXPRESSÃO DA FACE."
(Fernando Pessoa)

Faz parte do conjunto da boca um órgão muscular com funções complexas: perceber os sabores, auxiliar na mastigação e na deglutição e produzir os sons da fala.

Na escuridão da boca, disse um poeta, nasce o fogo da palavra.

Com nossas palavras podemos manter acesa a chama da esperança. Podemos entusiasmar quem nos escuta.

A língua designa o órgão, mas também o próprio idioma. Eu tenho uma língua e falo uma língua. Ou até outras línguas, mas sempre com a minha própria língua. E é impossível não recordar nesse ponto outra frase de Fernando Pessoa: "Minha língua é minha pátria".

Já como órgão do paladar, a língua pode ser usada como metáfora de discernimento. Quando percebo que uma piada é de mau gosto, por exemplo, é porque sei detectar condimentos que lhe faltam ou que foram usados em excesso, tornando-a indigesta.

Nem tudo o que se diz merece ser dito. Pode ser algo maldito. Algo que fere o sabor e a sabedoria.

A língua se descaracteriza quando se põe a serviço do deboche. Deboche é o contrário de seriedade e é o contrário também de bom humor.

Há pessoas que têm língua afiada e venenosa. Temos de cuidar para que nossa língua seja portadora de ideias claras, notícias verdadeiras, opiniões fundamentadas e pensamentos de esperança.

A língua para fora da boca (lembra-se da foto de Einstein?) é gaiatice, travessura. A genialidade tem algo dessa irreverência.

Ainda no mesmo conjunto do aparelho bucal, os lábios cumprem o papel dos beijos de carinho, respeito, amor.

E ainda na boca surge o sorriso. Abrir um sorriso é abrir imensas possibilidades. Ou, como diz o professor português Armindo Freitas-Magalhães, fundador do Laboratório de Expressão Facial da Emoção: "Sorrio, logo existo!".

SUGESTÃO

> Nas suas conversas, procure falar com clareza e apoiar-se num sentimento de esperança.

Cabelos

A biologia evolutiva não sabe explicar por que ainda possuímos tantos cabelos na cabeça, uma vez que a maior parte dos pelos que cobriam nosso corpo de mamíferos desapareceu ao longo dos milênios.

É como se ainda carregássemos (uns indivíduos mais do que outros, é claro) uma espécie de coroa, talvez por "decisão" estética da natureza, do mesmo modo que o pavão se orgulha de sua pesada cauda colorida e o mandril (um tipo de primata presente na África ocidental) ostenta um traseiro multicolorido.

Os diferentes tipos de cabelos indicam a variedade étnica, mas, além da etnia, nossos cabelos podem conter e transmitir muitas outras informações. O tipo de corte e de penteado que usamos, por exemplo, tem a ver com nosso estado de ânimo, com os sentimentos que experimentamos ou com novas atitudes perante os outros.

Um famoso jogador de futebol certa vez resolveu raspar os cabelos porque, depois de ter perdido um gol decisivo para o seu time, queria repensar a carreira e recomeçar, literalmente... do zero.

Numa escola carioca, em 2014, os alunos de uma turma de ensino médio descobriram que sua professora lutava contra o câncer e se submeteria à quimioterapia. Os rapazes rasparam a cabeça em solidariedade, e as meninas cortaram os cabelos bem curtos e fizeram doações a instituições que confeccionam perucas para pacientes oncológicos.

Naquele mesmo ano, foi notícia internacional a atitude de um professor iraniano. Ao ver que um de seus alunos sofria *bullying* depois de ter perdido os cabelos por causa de uma doença, raspou sua própria cabeça, motivando os demais alunos a fazerem o mesmo.

Os cabelos simbolizam a força de viver. Cuidar deles é cuidar não apenas da aparência externa, mas da própria vida em sentido amplo. Além da condição de saúde, nossos cabelos dialogam com os valores que incorporamos, com o modo como convivemos e com a cultura em que nos movemos.

A historiadora e jornalista italiana Elena Percivaldi dedica algumas páginas do seu livro *A vida secreta da Idade Média* a várias curiosidades capilares daqueles tempos. Na antiga Irlanda, por exemplo, os cabelos masculinos estavam associados à força dos guerreiros e cortá-los era, na prática, um sinal de deslealdade para com o próprio povo.

"TEUS CABELOS BRANCOS SERÃO BANDEIRAS DE PAZ."

(Cora Coralina)

Esse verso da poeta goiana Cora Coralina faz dos cabelos brancos uma bandeira de paz, um sinal de reconciliação conosco, com a vida e com as demais pessoas.

Nossos cabelos podem ficar em pé, e ficam, quando assistimos a cenas de desrespeito ao ser humano. Saibamos, porém, agarrar as oportunidades pelos cabelos. Oportunidades de mais espaço para a educação e a humanização de todos.

Enfim, não vale a pena arrancar os cabelos diante das preocupações! Todos os fios de cabelo da nossa cabeça estão contados por Deus, disse Jesus, para nos tranquilizar: nada está perdido e nada se perde!

E o poeta paraibano Chico César, numa de suas canções de liberdade, diz:

Respeitem meus cabelos, brancos!
[...]
Se eu quero pixaim, deixa!
Se eu quero enrolar, deixa!
Se eu quero colorir, deixa!
Se eu quero assanhar, deixa,
Deixa, deixa a madeixa balançar!

SUGESTÃO

Faça os seus cabelos transmitirem aquilo em que você acredita.

Cérebro

Não há em nosso corpo nada mais complexo do que o cérebro, órgão que pesa em média apenas 1,5 kg, mas que "gerencia" nossos pensamentos, sentimentos, memória, imaginação, desejos, movimentos físicos, respiração, digestão, tudo.

Um dos maiores enigmas e paradoxos da vida humana reside justamente no fato de que, dotados de um cérebro fantástico, não somos inteligentes o bastante para entendermos totalmente o seu próprio funcionamento!

Nossa inteligência supera a nossa inteligência.

Há uma detalhada identificação das regiões do cérebro e suas correspondentes funções, mas a totalidade de sua riqueza e o porquê de tudo isso fogem ao nosso alcance.

Somos mais inteligentes do que nós mesmos podemos aquilatar!

Os estudiosos do cérebro, em nossos dias, concordam em afirmar que eles mesmos, por mais que pesquisem esse maravilhoso "objeto" de análise, continuam se sentindo como semianalfabetos diante da obra completa de Shakespeare.

O que também observam esses estudiosos, e aumenta nossa perplexidade, é que o cérebro, com toda a sua complexidade, e sendo, como explica a neurocientista brasileira Suzana Herculano-Houzel, um órgão "caro", que consome diariamente 25% da energia que todo o nosso corpo consome, não tem aparência condizente com seus "custos" e imensos benefícios.

Comparemos o cérebro com o coração ou os pulmões, muito mais intricados em sua maneira de operar. "O cérebro esconde bem o seu mecanismo", escreveu o jornalista Hugh Aldersey-Williams, autor de *Anatomias: uma história cultural do corpo humano*.

"CADA CABEÇA, UMA SENTENÇA."
(Provérbio latino)

O cérebro está protegido pela caixa craniana, e, tomando o envolvido pelo envolvente, empregamos a palavra "cabeça" metonimicamente para falarmos de nós mesmos como seres cerebrais.

Uma cabeça vazia é alguém que não atua de modo inteligente.

Dizemos que uma pessoa precisa abrir sua cabeça para receber, sem medo, novas informações e realizar raciocínios mais arrojados.

É importante aprendermos a manter a cabeça fria, isto é, administrarmos com lucidez nossos pensamentos e emoções, para que o cérebro nos ajude a analisar a realidade e a tomar as melhores decisões.

Não faz sentido querer colocar dentro da cabeça dos outros, à força, as nossas ideias e opiniões. Nem mesmo o que sabemos ser evidente e incontestável. Cada cabeça produzirá sua própria sentença, ou seja, cada pessoa deve aprender a avaliar o mundo por sua conta e risco. Isso vale para os nossos alunos e para todos aqueles a quem ensinamos e formamos.

Cuidar do cérebro é exercitá-lo com leituras, experiências estéticas, é dançar, nadar, meditar, cultivar amizades, fazer pesquisas relevantes, manter conversas inteligentes, recuperar memórias significativas, motivar a imaginação de modo construtivo, organizar planos para o trabalho e para o descanso.

A educação do cérebro também é emocional.

Viver com menos obsessões e mais calma, menos agitação e mais serenidade, menos ódio e mais compaixão dão a nossa mente a chance de expandir-se para além dos aspectos fisiológicos, descobrir horizontes de sentido.

SUGESTÃO

> Procure manter seu cérebro livre de preocupações inúteis e ocupado com projetos relevantes.

Coluna

Podemos olhar para a coluna espinhal por dois ângulos: o mecânico e o emocional.

Mecanicamente falando, a coluna vertebral humana tem função de sustentação, a exemplo das colunas de uma edificação.

Na primeira infância, cada um de nós fez esforços gigantescos para ficar de pé e andar. A coluna e os músculos das costas têm o papel de evitar que caiamos para frente ou para trás.

Nossa posição ereta é antigravitacional. Faz parte do fenômeno humano erguer-se sobre as duas pernas, mas essa "rebeldia" tem um custo.

Cuidar da nossa coluna passa pela consciência de que ela sofrerá um desgaste que não sofreria caso continuássemos a andar com as mãos e os joelhos no chão.

O desgaste é amplamente compensado pelo ganho cognitivo, porque vamos ao encontro das realidades de "barriga para cima" e de "peito aberto". Conseguimos olhar mais longe e para o alto. Libertamos os braços para realizações de todos os tipos.

Essa verticalização nos tornou especialmente ativos no planeta.

"TUDO É UMA QUESTÃO DE MANTER A MENTE QUIETA, A ESPINHA ERETA E O CORAÇÃO TRANQUILO."
(Walter Franco)

À dimensão mecânica soma-se a dimensão emocional.

A postura humana ereta nos põe em contato com outros seres humanos e, frente a frente, experimentamos emoções: alegria, medo, espanto, amor, raiva, tristeza etc.

Precisamos nos manter firmes quando as emoções negativas e as pressões cotidianas nos puxam para baixo e querem nos derrubar.

Aquele friozinho na espinha perante os perigos da vida é inevitável. Mas é positivo, na medida em que nos lembra de que somos vulneráveis e precisamos nos cuidar melhor.

Evitemos carregar pesos excessivos nesta vida. Pesos físicos ou emocionais que fazem a espinha entortar-se podem e devem ser compartilhados.

Peso dividido, amizade fortalecida.

Daí a importância de não exigir de nossa coluna vertebral (e de nós mesmos, como se fôssemos gigantes superpoderosos) mais do que o razoável.

Descrevamos com coragem o estado em que nossa coluna fica em determinados ambientes profissionais. No conto "Crianças e velhos", o escritor Rubem Fonseca faz seu personagem desabafar: "Eu era contador e me curvava cada vez mais para ver aquela infinidade de números e sentia dores horríveis nas costas, minha coluna vertebral, devido à minha postura, estava, estava, como direi... estragada, isso mesmo, estragada". Pensemos nas vezes em que a profissão docente ameaça estragar nossa coluna.

Além da espinha ereta, é fundamental mantermos a mente e o coração tranquilos. Na medida do possível, essa atitude integral de resistência, vinda de dentro para fora, reflete-se numa postura de esperança e de luta condizente com nossa condição humana.

A melhor forma de começarmos a cuidar da nossa coluna é perceber a postura adotada durante uma caminhada, ou o modo como nos sentamos numa cadeira diante do computador. Que outras posturas assumimos em diferentes circunstâncias do dia? Para o sono da noite, a preocupação recai sobre a altura da cama e o tipo de colchão.

Estabelecer um diálogo com nossa coluna vertebral contribui para a tomada de consciência do que nos cabe fazer ou deixar de fazer. Temos que perguntar a nós mesmos o que a nossa coluna pode suportar, para que sua estrutura não saia dos eixos.

SUGESTÃO

> Assuma firmemente o cuidado de sua coluna para enfrentar o dia a dia de cabeça erguida.

Coração

A palavra "coração" remete, figurativamente, à parte mais central ou profunda de uma realidade.

Quando dizemos que é preciso ir ao coração de um problema, estamos pensando em ir até o seu núcleo, para conhecê-lo em profundidade. Se alguém vai até o coração de uma cidade, por exemplo, encontra aquilo que lhe é mais peculiar e representativo: uma praça, uma igreja, um monumento.

Isso indica que cuidar do nosso coração é cuidar daquilo que melhor nos define.

Também aqui encontramos uma ideia de concórdia. Concordar é fazer seu coração (do latim *cor, cordis*) entrar no ritmo de outro. Criar união, sintonia. E quando alguém diz que vai abrir o coração para outro alguém, pretende revelar algo de muito íntimo e pessoal.

"O CORAÇÃO TEM RAZÕES QUE A PRÓPRIA RAZÃO DESCONHECE."

(Blaise Pascal)

Na história da medicina, investigar o coração, considerado um dos nossos órgãos mais dinâmicos, tornou-se obrigatório. O estetoscópio traz aos ouvidos do médico os segredos do coração. Mas, antes desse aparelho existir, auscultava-se o coração dos pacientes encostando a orelha no tórax arfante.

Um dos muitos segredos do coração, para além do aspecto físico, pulsante, é o que se chama de cordialidade. O corpo nos ensina a agir assim, com o coração cheio de vida e afeto. Com o coração nas mãos.

O coração é alvo e sinal inconfundível das muitas emoções que experimentamos.

Colocamos a mão no peito, tentando segurar o coração, quando alguma coisa afeta diretamente nossa existência. Não é à toa que a palavra "coragem" está ligada ao coração.

A misericórdia também: um coração solidário com quem sofre é um coração mais humano. E quando tiramos um peso do coração, é porque conseguimos resolver uma situação aflitiva.

O coração apertado tem a ver com a tristeza, e a felicidade imensa faz o coração explodir. Às vezes, literalmente.

Já ficamos com o coração na garganta, por ansiedade, ou sentimos que nosso coração se quebrou, decepcionado.

Todas essas sensações cardíacas estão presentes na vida humana. Mas não é o caso de desenvolver fobias e achar que tudo isso vai necessariamente acabar num infarto.

Há exercícios respiratórios, de relaxamento, e podemos desenvolver uma disposição mental otimista, bem-humorada, para administrar melhor o estresse, lidando com os problemas e as apreensões de modo mais sereno. Sem lhes dar demasiada importância.

Como em tudo relacionado ao corpo, trata-se igualmente de criar um estilo de vida saudável: reduzir o consumo de álcool, evitar o cigarro, praticar alguma atividade física regularmente, dormir as horas necessárias, alimentar-se em quantidade e qualidade adequadas.

O coração agradece.

E o coração, em sua centralidade, ensina.

Uma pedagogia sem coração já estaria morta. Os batimentos cardíacos dos professores são um claro indício de que o melhor exercício didático está arraigado no amor.

Um amor forte, não sentimentalista.

Um amor que reúne afetividade, ideias e princípios.

SUGESTÃO

> Tome uma taça de vinho por dia para proteger e alegrar seu coração.

Dentes

Os dentes, tão pequenos em relação a nossa estrutura física, são a parte mais dura do corpo. Eles também são o último elemento do cadáver humano a entrar em decomposição. Nas escavações arqueológicas, os dentes encontrados contam as mais antigas histórias sobre o ser humano.

Nosso lado animal ainda está bem visível aqui. Senão, vejamos...

Temos oito dentes incisivos (próprios para cortar), vinte molares (para moer e triturar) e quatro caninos (para lacerar... ou dilacerar). Povos canibais afiavam os dentes para que esses últimos, mais pontiagudos, pudessem rasgar melhor a carne dos cativos de guerra.

Em algumas pessoas, a animalidade brota quando mostram seus dentes ou falam entre os dentes, quase rosnando. Dentes, que já foram maiores nas bocas de nossos mais antigos ancestrais, assemelham-se a pequenas armas de ataque ou defesa. E, por isso, costuma-se dizer que alguém, muito empenhado em realizar algo, luta com unhas e dentes.

Mas não bastam as unhas; é preciso morder.

Os dentes expressam força, para o bem ou para o mal.

Quando eu mordo a própria língua faço uma coisa boa, se a intenção é me impedir de dizer algo inconveniente. De calar ninguém se arrepende, ensinavam os antigos.

Há, no entanto, quem se morda de raiva, ou de ciúme, ou de inveja. O que expressa o lado patológico e o caráter autodestrutivo dessas emoções.

Armindo Freitas-Magalhães, que citei páginas atrás, estudando o fascinante mapa do rosto humano, observou que as mães de gêmeos conseguem distinguir um do outro pelo sorriso. Cada pessoa tem um sorriso próprio. O professor Freitas-Magalhães se refere, aqui, ao sorriso largo, em que se veem os dentes.

No sorriso largo, manifesta-se um sentimento de profundidade que foge à medida usual. E, em virtude dessa amplitude, quem sorri assim influencia poderosamente as outras pessoas. Os dentes, nesse caso, evidenciam emoções positivas, pacíficas, e não agressividade.

Alargar o sorriso, com o coração sincero, pode ser um exercício para criar uma boa atmosfera emocional ao nosso redor.

**"NA PIA
A MENININHA ESCOVA OS DENTES
ESCOVA OS DENTES
ESCOVA OS DENTES."**

(Mario Quintana)

Os hábitos de higiene bucal devem ser ensinados e incorporados desde cedo. Ir ao dentista regularmente também, para aprender como cuidar dos dentes e gengivas. Ensinamentos práticos de saúde dental devem ser conhecidos, praticados e difundidos em casa e na escola.

Voltando sempre ao básico, jamais descuidemos da escovação regular e do uso do fio dental. Mantemos assim as bactérias sob controle e eliminamos os riscos de gengivite.

O que comemos e os demais hábitos que cultivamos no dia a dia se refletem na saúde dos nossos dentes. Não podemos nos esquecer (e isso vale para todos os breves capítulos deste livro) de que nenhuma parte do corpo vive isoladamente, sem as demais.

O todo está em cada parte. E cada parte relaciona-se com o todo.

Não basta apenas cuidar diretamente dos dentes, embora isso seja imprescindível.

Temos que cuidar da pessoa em suas diversas dimensões, e os dentes receberão o reflexo desse cuidado integral.

SUGESTÃO

> Lembre-se de que os dentes são também uma forma de expressar nossa visão de mundo.

Dor

Toda dor é uma pergunta, ou deve provocar perguntas. Sentimos dores físicas e dores anímicas. Estas últimas abalam nossas crenças, põem em xeque nossos projetos, estragam nossos sonhos. As dores da alma podem provocar dores físicas e vice-versa.

Esforços da medicina e no campo da espiritualidade, para resolver o problema da dor, se deparam, sempre, com uma pergunta decisiva: se a dor nos aflige tanto, se é tão repulsiva ao nosso ser natural, por que não nos livramos dela de uma vez por todas?

A promessa é a de que um bom analgésico elimine a dor física, e uma boa filosofia de vida relativize a dor anímica.

Sofremos dores agudas e dores crônicas, que são mensageiras indesejáveis. Avisam que algo não anda bem. Então, procuramos calá-las.

Mas, afinal de contas, o que não anda bem?

**"MINHA DOR É PERCEBER
QUE APESAR DE TERMOS FEITO
TUDO O QUE FIZEMOS..."**

(Belchior)

Toda dor contém elementos emocionais. Descobrimos que a dor já estava lá, de algum modo presente nesse plano emocional: tristezas, mágoas, raivas, apreensões...

Sempre há componentes físicos e psicológicos envolvidos, entrelaçados em nossas dores.

Especialistas estudam, por exemplo, a memória da dor, que corresponde a marcas profundas deixadas por um período doloroso. Um escritor francês dizia que sofrer passa, mas ter sofrido não passa nunca. Há traumas para todos os gostos e desgostos.

Embora a dor seja comumente considerada sintoma de alguma doença, a partir de meados do século XX a própria dor passou a ser pensada, ela mesma, como uma enfermidade. Há, portanto, a algiologia, uma ciência que estuda a própria dor, suas implicações fisiológicas, emocionais, cognitivas e sociais.

Sabemos que a vida docente é também uma vida dolente, e o corpo docente "dor sente". Isto é, em nossa vida profissional temos contato com diversos tipos de dores, desde as que afetam diretamente o corpo individual às que se estendem e se enraízam no corpo coletivo.

Uma conclusão parcial, mas importantíssima, é a de que a dor não pode ser explicada ou reduzida tão somente às causas, desordens e processos físicos.

Toda dor é biopsicossocial. Logo, se pretendemos falar em terapias focadas em amenizar ou até mesmo eliminar as dores, temos de elaborar uma compreensão igualmente biopsicossocial a esse respeito.

Um primeiro passo nessa direção requer novas atitudes da pessoa que sofre. Tal atitude irá colaborar para que outras ações e decisões surtam efeito.

Em lugar de repetir, realçando o quadro doloroso, que "Sou um caso perdido", que "Isso não tem mais jeito", que "A tendência é piorar", devo empreender outro modo de pensar a dor e procurar caminhos de esperança e superação.

Não se trata de um pensamento mágico, mas de um pensamento que liberta do círculo vicioso da obsessão e da passividade, abrindo-nos para novas possibilidades.

E, é necessário nos lembrarmos do óbvio, a extinção total da dor não é algo que possamos assegurar. A dor, do nascimento à morte, ainda que não com a mesma intensidade e gravidade ao longo dos dias, estará sempre ao nosso lado.

SUGESTÃO

Procure expressar seus sentimentos acerca da dor em vez de apenas queixar-se dela.

Estômago

O corpo docente é um corpo aprendente.

E podemos aprender o tempo todo com todo o nosso corpo.

Cada parte ensina algo ao todo, como acontece dentro de uma sala de aula (um aluno ensina algo aos colegas e ao professor), como acontece em qualquer organização, como, enfim, se dá continuamente no corpo social.

No entanto, teorias sobre o que se deve ou não comer, sobre determinada dieta que poderá, talvez, ser melhor do que aquela, todas essas discussões interessantes nem sempre são as mais pertinentes.

O importante mesmo, quanto à alimentação, é aprender do próprio corpo o que o sustenta, o que lhe dá vigor e estabilidade.

Inicialmente, nos lembremos da imensa vantagem humana em comparação com os outros seres que habitam o planeta: *nós somos onívoros*. Ou seja, podemos nos alimentar de praticamente tudo.

Mas, como observou o médico e psicoterapeuta alemão Rüdiger Dahlke, sermos onívoros não nos autoriza a colocar tudo o que chega às mãos para dentro do estômago.

Devemos aprender a ouvir a voz (e os roncos) do estômago.

Ele nos diz, sem dúvida, que não se resume a uma espécie de bolsa que aceita qualquer coisa a qualquer hora. Se é preciso "forrar a barriga" para não morrer de fome, não necessariamente precisamos enchê-la sempre e com todo tipo de alimentos.

Comer bem é uma arte avessa a excessos e exageros. Isso implica exigir do estômago, na medida certa, tão somente o trabalho que ele pode e sabe realizar. Quando alguém diz que "não tem estômago" para determinada coisa, isso serve para lembrar de que ninguém precisa engolir sapos... sejam eles reais ou metafóricos.

Está fora de cogitação viver para comer, ou transformar-se numa espécie de devorador esportivo, à semelhança dos participantes da chamada "alimentação competitiva". Por que esse desespero para comer além da conta? Por que desejar mais do que precisamos?

"A SAÚDE DO CORPO INTEIRO É FABRICADA NA OFICINA DO ESTÔMAGO."

(Cervantes)

Dom Quixote aconselhava seu escudeiro, o comilão Sancho Pança, a alimentar-se com racionalidade. O estômago é essa oficina, essa fábrica de saúde ou de doenças. E para tornar essa fábrica mais eficaz, para reeducar o estômago, não existe caminho melhor do que a moderação e, mais ainda, o jejum.

As sabedorias arcaicas recomendavam o jejum como estratégia de aperfeiçoamento espiritual, mas, certamente, percebiam melhoras também no plano corporal. Jejuar é fazer uma ou duas refeições leves por dia e beber água, hidratar-se.

Tal prática, realizada uma vez por ano (mas não mais do que isso, como aconselha Dahlke em livro dedicado ao tema), por um período de dois a três dias, desintoxica o organismo, auxilia na produção de hormônios do crescimento, reduz o peso, melhora a pressão sanguínea e nos ajuda a retomar as refeições com mais consciência, com menos ansiedade.

A plenitude da vida não está em consumir e encher nossos vazios corporais. O estômago é um espaço no qual habitam também nossas emoções mais fortes (as expressões "frio na barriga" e "estômago embrulhado", por exemplo, indicam isso). Logo, cuidar dele é cuidar do nosso equilíbrio em sentido amplo.

SUGESTÃO

Na prática do jejum, você aprenderá a renovar sua relação com os alimentos.

Fígado

Na antiga China, os guerreiros vitoriosos comiam o fígado dos inimigos vencidos para celebrar o feito, mas também para assimilar sua coragem.

Na versão da história da Branca de Neve escrita pelos irmãos Grimm, a rainha má ordena que o caçador mate a menina e, do corpo morto, extraia o fígado e o entregue a ela, como prova de ter cumprido a tarefa. O caçador a desobedece e leva o fígado de um porco, que a bruxa come com satisfação.

É que o fígado era visto como um misterioso gerador de forças. Na mitologia grega, Prometeu, aquele que roubara dos deuses o fogo da criatividade, foi amarrado a uma rocha e, como punição, tinha seu fígado estraçalhado todos os dias por uma grande águia. O fígado então regenerava-se em 24 horas, para ser eternamente devorado.

A expressão "inimigo figadal" significa alimentar rancor por alguém. "Desopilar o fígado" significa, em bom português, jogar fora o mau humor. E quando alguém diz "ter fígado" para enfrentar determinada coisa, refere-se a ter ânimo e coragem para a luta.

Na antiguidade, o fígado – e não o coração – era considerado o órgão da sensibilidade, o lugar do amor, ao mesmo tempo capaz de produzir o fel da ira.

**"DÊ A MEU FÍGADO UMA BOCA
E ELE LHE CONTARÁ."**

(Allan Seager)

Depois da pele, o fígado é o maior órgão do corpo humano.

Seu tamanho é documento, sim, pois suas funções são muitas (os médicos listam mais de duzentas) e de extrema importância para o metabolismo.

Como o objetivo destas páginas não é praticar a medicina, prescrever terapias ou oferecer receitas nutricionais, tenhamos claro, por ora, apenas o que o próprio fígado nos diz.

Desse modo, poderemos aprender a cuidar de nós mesmos com mais lucidez e bom senso.

Uma das principais recomendações do próprio fígado foi expressa, de modo invertido e divertido, por uma frase de Millôr Fernandes: "O fígado faz mal à bebida".

O humor desopila o fígado e mostra a realidade em sua crueza. A cirrose alcoólica é uma das mais frequentes causas de transplante de órgãos no Brasil, e essa grave enfermidade não acontece por acaso.

O também humorista Jaguar, contemporâneo de Millôr, contou em entrevista que a cirrose avançada e o câncer de fígado que passou a enfrentar decorreram de seis décadas de vida bebendo "uma piscina olímpica de álcool".

De fato, o maior inimigo do fígado é o alcoolismo. Os médicos apontam ainda para outros perigos, entre os quais se destacam a obesidade, os vírus hepáticos e o uso de drogas (incluindo o excesso de analgésicos).

Como cuidar do nosso fígado, portanto?

A resposta intuitiva recomenda escolhas sensatas.

O escritor carioca Carlos Heitor Cony escreveu certa vez, ironicamente, que o câncer no fígado causava uma admiração positiva: "Todo mundo olha para o camarada e diz – 'esse aí aproveitou a vida, bebeu bem, comeu bem, amou bem'".

A ironia está no advérbio "bem", que pode ser interpretado de dois modos: ou beber, comer e amar muito, em excesso... ou beber, comer e amar de forma adequada, em bom nível de qualidade.

SUGESTÃO

Proteja seu fígado da falsa ideia
de que é motivo de orgulho beber até cair.

Gestual

Especula-se que todos os gestos comunicativos que o nosso corpo é capaz de fazer ultrapassem em quantidade as palavras de que dispomos.

É bem possível.

Além do discurso verbal, o corpo docente ensina por meio de um conjunto não verbal de movimentos significativos, sobretudo gestos das mãos e dedos, mas também da cabeça, dos ombros, dos braços.

Nossa performance em sala de aula tem uma boa dose de corporalização do conhecimento. Ou seja, o corpo argumenta, indica, afirma e nega.

Mãos abertas ou fechadas, que acenam ou tamborilam, mãos que fazem desenhos no ar, e a cabeça que sacode, e os braços cruzados, e os ombros que se mexem em sinal de descaso ou desdém – tudo isso participa da nossa arte de ensinar.

Leonardo da Vinci, grande observador do corpo humano, aprendia com os mudos os segredos dos gestos expressivos e os recriava em desenhos e pinturas.

No século XVII, o médico e educador inglês John Bulwer publicou um tratado sobre os gestos humanos, descrevendo, entre outros, o gesto de triunfo (agitar as mãos acima da cabeça), o de compaixão (estender a mão direita para alguém) e o de angústia e impaciência (colocar as mãos na cabeça).

No livro *História dos nossos gestos*, Luís da Câmara Cascudo refere-se à voz dos gestos e multiplica exemplos.

Estender os dedos indicador e médio na forma da letra *V* era o gesto da resistência de Churchill contra o nazismo. Na ocasião, uma cristã fanática escreveu ao estadista inglês, reprovando-lhe o gesto, pois aquele *V*, para ela, representaria os chifres do diabo. Diz Câmara Cascudo, no entanto, que o sinal aludia à vida (*vita*, em latim) e não à vitória (*victory*, em inglês), e muito menos ao diabo.

Outra possibilidade: o *V* seria um símbolo da vitória, sim, na época em que a rainha Isabel de Castela lutava contra os mouros (século XV).

"O GESTO É UMA PONTE ESTENDIDA EM DIREÇÃO A OUTRA PESSOA."
(Jean Bergès)

A comunicação gestual requer mistura fina de espontaneidade e intencionalidade.

E é ainda Câmara Cascudo quem se refere a um professor de pedagogia que, no Rio de Janeiro, na primeira metade do século XX, ironizava o uso excessivo do dedo indicador em riste, que era um gesto comum (e autoritário) dos professores naqueles tempos.

Vale a pena lembrar que os alunos de então, e até hoje (embora pareça que o gesto esteja sendo esquecido...), erguem o mesmo dedo, para pedir licença para falar.

Antigamente, os professores puxavam ou torciam a orelha do aluno que não decorasse a lição. Esse gesto de violência lhe dizia: "Abra os ouvidos para entender a matéria!".

No mesmo livro, o pesquisador potiguar Câmara Cascudo relata que a expressão "cuspir no prato que comeu", no sentido de mostrar ingratidão com algo ou alguém, tem uma origem alternativa que altera seu significado: nos antigos colégios internos, os alunos fingiam cuspir no próprio prato para os colegas famintos não furtarem o bife mais suculento.

Os gestos devem ser naturais, acompanhando, reforçando ou substituindo a fala. Por outro lado, o mesmo gesto, dependendo do contexto, da cultura local e do modo como as pessoas veem o mundo, pode ser interpretado de diversas maneiras.

SUGESTÃO

Faça dos gestos uma forma de despertar o diálogo ao seu redor.

Intestinos

No corpo humano, tudo tem a ver com tudo.

E tudo, no corpo todo, tem a ver com a pessoa inteira.

Uma falsa etimologia, por exemplo, associa o adjetivo "enfezado" a fezes. Uma pessoa irritada, colérica, enfezada, estaria profundamente incomodada por dentro. O acúmulo de fezes seria a causa de sua raiva contida... ou incontida.

A causa física, portanto, explicaria o comportamento emocional.

No entanto, o contrário também é possível.

A síndrome do intestino irritável, que desperta muitas discussões no campo da medicina, pode ser (e é bom frisar: *pode ser*) expressão física de uma irritabilidade da pessoa em razão de problemas em casa ou no trabalho.

Aqui, a causa emocional explicaria o transtorno físico.

O psicoterapeuta Hans Morschitzky faz notar que as expressões na linguagem envolvendo a vida intestinal são geralmente radicais ou vulgares. Ou as duas coisas. O que evidencia como os intestinos mexem conosco!

Se alguém está "cagando e andando" para algum assunto, é por não dar nenhuma importância a ele. Porém, a imagem que se produz mostra que a pessoa, andando daquele modo e naquelas circunstâncias, precisará tomar providências urgentemente!

Ou pensemos na expressão "borrar-se de medo". A perda de controle da situação fica patente, e não há como segurar ou segurar-se.

Mais uma expressão no mesmo campo anatômico é: "fazer das tripas coração". A pessoa está de tal modo empenhada em conseguir algo que tudo em seu corpo é tomado pela força do coração, até mesmo os intestinos.

O médico e escritor Moacyr Scliar, em trecho de um livro seu, menciona outra leitura, enaltecendo as tripas.

"FIZ DAS TRIPAS CORAÇÃO: PORQUE A HORA ERA PARA VÍSCERAS MENOS NOBRES QUE O CORAÇÃO, MENOS NOBRES MAS MAIS FORTES."

(Moacyr Scliar)

Do plano da linguagem para o plano da observação clínica, os médicos atentam para os hábitos intestinais dos seus pacientes como forma de identificar problemas mais profundos: "A diarreia pode ser um sinal de doença da tireoide; a constipação, um aviso de malignidade; e fezes oleosas, flutuantes, sugerem que nosso pâncreas parou", explica o médico e escritor Gavin Francis.

Uma descoberta universal na vida estudantil e acadêmica é que só passamos a gostar daquilo que conhecemos. Ninguém ama aquilo que desconhece.

Foi o que aconteceu com a escritora e cientista alemã Giulia Enders, que se apaixonou pelo estudo do intestino. Em seu livro *O discreto charme do intestino*, ela observa que, à primeira vista, o aparelho intestinal é desengonçado e sem graça. O intestino, por exemplo, "parece uma triste tentativa de imitar um colar de pérolas".

No entanto, ao conhecê-lo melhor, não há órgão mais belo e fascinante. Suas tarefas ligadas à fragmentação e digestão dos alimentos, à absorção de nutrientes e à excreção controlada das fezes promovem nosso equilíbrio vital.

Talvez por isso, intuitivamente, os antigos egípcios acreditavam que os intestinos tinham algum poder mágico e, ao embalsamarem um corpo, retiravam-nos com grande respeito e reverência.

SUGESTÃO

> Evite os alimentos que seus intestinos recusam e busque os que eles aprovam.

Lazer

No artigo 6º da Constituição Federal, enumeram-se os principais direitos sociais do povo brasileiro: educação, saúde, alimentação, trabalho, moradia, transporte, segurança, previdência social, proteção à maternidade e à infância, assistência em situação de desamparo e lazer.

Antes ainda, na Declaração Universal dos Direitos Humanos, o artigo 24 diz: "Todo ser humano tem direito a repouso e lazer, inclusive a limitação razoável das horas de trabalho e a férias remuneradas periódicas".

O lazer implica descanso, entretenimento e divertimento. Implica paz individual e paz social. Lazer é levar o corpo a uma distensão, a uma pausa nas tensões e pressões desgastantes do cotidiano. Uma das vertentes do lazer é o que poderíamos chamar de "risoterapia": participar de uma rodada de boas piadas entre amigos é um santo remédio.

A vida é feita de dor, de inseguranças, de estresse, de contrariedades e frustrações, de correria, de trabalho árduo, mas também de alegrias e prazeres, de tempo livre para fruir do próprio ato de viver.

Lazer é tempo a ser garantido e protegido para vivermos e, sobretudo, convivermos.

O lazer, o ócio, não significa não fazer nada ou relaxar de modo irresponsável, mas tomar fôlego e recuperar a leveza e a gratuidade da vida. Daí o direito que temos à distração prazerosa, que nos ajuda a vislumbrar o que há de beleza e completude na existência.

"ERA UM TRABALHO PARA DESCANSAR DOS OUTROS TRABALHOS E PARA RESPIRAR DE NOVO O AR DA MINHA CIDADE."
(Primo Levi)

Um entretenimento guiado pela ânsia vertiginosa, pelo desejo aflito de aproveitar a vida a qualquer custo, é fonte envenenada de novos desgastes e angústias.

Nosso corpo sente-se ainda mais cansado após um falso descanso.

Lazer, portanto, é entregar-se a uma atividade que nos liberte do ativismo, protegendo o corpo das insistentes cobranças de produção e eficácia.

Viver momentos de lazer consiste em encontrar espaços de tranquilidade para depois, com energia renovada, seguir na luta.

Esses espaços são oásis de alegria concretizados num passeio sem pressa, na contemplação da natureza, numa ida ao cinema, ao teatro e em atividades agradáveis em si mesmas, como pescar, andar de bicicleta, participar de jogos coletivos, ouvir música etc.

O lazer liberta o corpo das preocupações excessivas e das obrigatoriedades que, não contrabalançadas, podem nos sufocar, provocando vários problemas de saúde.

O historiador Stuart Schwartz, especialista em história ibero-americana, encontrou importante documento sobre o desejo dos escravizados de humanizarem sua condição. No *Tratado de paz dos escravos rebelados* (século XVIII), reivindicavam ao proprietário do Engenho de Santana, em Ilhéus, na Bahia, o fim dos maus-tratos, maior autonomia de trabalho e poder "brincar, folgar, cantar em todos os tempos que quisermos sem que sejamos impedidos ou seja preciso licença".

Lazer não é fugir do trabalho, mas ir ao encontro de outras dimensões da vida tão ou mais necessárias do que as chamadas atividades produtivas.

Não por acaso a palavra "escola" está associada à ideia de lazer (*scholé*, em grego, "tempo livre"). O aspecto lúdico e libertador da vida é ingrediente fundamental ao aprendizado.

SUGESTÃO

Dedique parte do seu tempo a alguma atividade que lhe dê paz e serenidade.

Mãos

No seu belo livro *A mística do instante*, o teólogo e poeta português José Tolentino Mendonça capta e comenta um desses instantes reveladores da vida humana.

Ele o chama "instante de trocar de mãos". O autor assistia a uma cena despretensiosa de um filme, mas estava atento e observava a cena querendo aprender e apreender coisas essenciais.

Uma velhinha vem andando devagar pela calçada. Carrega com dificuldade duas pesadas sacolas de compras. Uma em cada mão. Num dado momento, ela se detém, solta as sacolas, respira fundo, troca-as de mão, respira fundo de novo, e segue em frente.

A mão direita continua sendo a mão direita e a mão esquerda continua sendo a mão esquerda. As duas sacolas continuam pesadas, antes e depois daquela pausa. A troca parece inútil. Mas não é. Foi o instante necessário para que a personagem, ciente da sua fraqueza, recuperasse o fôlego, e continuasse em seu caminho.

Podemos arriscar outra leitura: a troca de mãos como a troca solidária de pesos entre duas pessoas. Num gesto de companheirismo e amizade, carregamos um pouco o peso de alguém, que se dispõe a carregar também o nosso.

"NOSSAS MÃOS SÃO USADAS NOS RELACIONAMENTOS E EM TUDO O QUE SE REFERE AO NOSSO DIA A DIA."

(Anselm Grün)

E ensinar seria um trabalho manual?

Retomando a premissa antropológica dessas nossas reflexões, o pensamento não está fora das mãos e as mãos não estão isoladas do pensamento.

Ensinar não pode ser manipular (palavra que indica controlar com as mãos), mas está em profunda conexão com as mãos, pois ensinar contribui para a emancipação dos alunos.

"Emancipar" procede do latim *emancipare*, que se compõe da partícula *ex* (indicando movimento para fora) mais o verbo *mancipare* (isto é, "transferir com a mão"). Emancipar, portanto, é transferir o poder para outra pessoa. É deixar que a outra pessoa pegue a liberdade com suas próprias mãos e siga seu rumo, cumpra seu destino.

Os professores emancipam na medida em que ensinam o exercício livre do maior de todos os poderes humanos, que é aprender a aprender.

O poder de aprender tem que trocar de mãos. Tem que ir para todas as outras mãos.

A principal função do professor, conforme explica Pedro Demo, não é ensinar, mas aprender. A palavra espanhola *enseñar*, que significa "mostrar", demonstra, afinal, que ensinar é mostrar algo a alguém. É apontar para algo que alguém terá condições de olhar por conta própria e estudar por si mesmo.

Mais do que apontar o dedo para alguém, exigindo que faça isso ou aquilo, ensinar é oferecer, apresentar, desenhar, como as mãos de um artista fazem, aquilo que vale a pena ser visto.

Quem passa o dia entre computadores e celulares praticamente já abriu mão da caneta, mas continua digitando, continua escrevendo com as mãos. As mãos continuam trabalhando.

Na educação, continuamos abrindo livros com as mãos, e preparando com as mãos os nossos *slides* e mediando, convidando os alunos a colherem os frutos do conhecimento com suas próprias mãos.

SUGESTÃO

> Ensine suas mãos a trabalharem pela educação e não a serem instrumentos de controle da vida alheia.

Morte

Algumas perguntas são comuns quando recebemos a notícia de que alguém faleceu. Em geral, perguntamos a idade que a pessoa tinha e a causa de sua morte.

Essas duas perguntas nos levam a esboçar mentalmente uma comparação com nossa própria idade e com a nossa atual condição de saúde. A morte de outra pessoa faz com que nos recordemos, subitamente, de nossa própria mortalidade.

No conto *O muro*, Jean-Paul Sartre descreve a situação de homens condenados à morte. A morte os espera. Eles esperam a morte. A morte é o muro contra o qual não há mais o que fazer. A pele de um deles adquire coloração acinzentada por causa do medo total, na iminência do fuzilamento.

É absolutamente natural temer a morte e também natural evitar falar sobre o assunto, especialmente quando se trata da nossa morte pessoal.

Um dos truques para perder o medo da morte, ou para tentar afastar-se do tema e esquecê-lo, é empregado no segundo volume da trilogia autobiográfica de Simone de Beauvoir, *A força da idade*. Escreveu a filósofa:

"A morte não é exatamente nada, nunca se morre, porque já não há mais ninguém para suportá-la".

Trata-se de truque filosófico antigo, que consiste em olhar a morte como algo externo e irremediável. O indivíduo morto não é mais nada. Ora, que dor pela morte ele sentirá? O nada já não sente nada. A morte não encontrará nada ali, onde ela, a morte, já atuou.

Logo, por que temer a morte?

Por que se preocupar tanto com a morte?

"A GENTE SÓ LEVA DA VIDA A VIDA QUE A GENTE LEVA."
(Tom Jobim)

A filosofia, que ainda hoje podemos ver como uma forma de aprender a morrer, nos diz que a morte já nasceu conosco, desde o primeiro dia de nossas vidas.

O nosso corpo é vulnerável. Pertence à ordem material, desgasta-se ao longo do tempo ou se torna inviável por uma desorganização interna ou por uma agressão externa.

A sabedoria popular expressa a mesma verdade em menos palavras: "Para tudo há remédio, menos para a morte".

Cada pessoa deve lidar pessoalmente com essa realidade. Acredito no que dizem as religiões sobre vida além da morte? Inventarei minha própria visão filosófica ou religiosa a respeito? O certo é que a morte faz parte da vida, e o modo como levamos a vida será também o nosso modo de viver a morte.

O jornalista e escritor Christopher Hitchens, falecido em 2011, deixou no seu livro *Últimas palavras* reflexões radicais sobre a proximidade da morte e sobre o câncer que o atingiu. Confessa ele: "Sempre me orgulhei de minha capacidade de raciocínio e de meu estoico materialismo. Eu não *tenho* um corpo, eu *sou* um corpo. Mas consciente e regularmente agi como se isso não fosse verdade, ou se como fosse possível abrir uma exceção no meu caso".

Hitchens estava certo. Cada um de nós é um corpo. Mas ele foi surpreendido pelo câncer, apesar dos sinais de alerta. Grande palestrante que era, e solicitado para inúmeros eventos, não deu atenção às diversas vezes em que ficara extremamente rouco. Só muito tarde procurou o médico, que detectou um tumor em seu esôfago.

Não há exceção: a morte faz parte do jogo de cada vida humana.

SUGESTÃO

Viva seu dia a dia com intensidade,
mas preserve-se do esgotamento físico.

Músculos

Os nossos movimentos corporais dependem do gerenciamento cerebral sobre os músculos.

O terapeuta e escritor estadunidense Stanley Keleman, em seu *Anatomia emocional*, afirma que até podemos considerar cérebro e músculos um órgão só.

A inteligência nos move e nos movemos de modo inteligente.

Os movimentos físicos, da infância à fase adulta, vão nos tornando livres para agir e interagir. Saímos de uma situação de extrema limitação, no berço, no colo, para o progressivo andar e correr, sem falar nas inúmeras possibilidades que a dança e o esporte exploram nem do que o corpo é capaz de fazer graças à ginástica circense.

Os músculos podem obedecer ao que queremos, mas também podem ter, e têm, iniciativa. Os músculos do coração agem por conta própria, garantindo o ritmo vital.

Pensando na dimensão estética do corpo, os músculos podem ser modelados para transmitir ideia de potência, força, virilidade. É preciso tomar cuidado para não cair na obsessão narcisista. Mas, além do aumento da massa muscular, cabe lembrar dos benefícios à saúde.

A prática da musculação, bem orientada, ajuda pessoas que enfrentam doenças musculares, ósseas e metabólicas, ou têm problemas de mobilidade e postura.

Mas há outras dimensões a serem mencionadas. De modo especial, os músculos participam das nossas relações com o mundo e com as pessoas.

A musculatura nos põe em contato com os pesos e empurrões da vida. Precisamos carregar nossa bagagem existencial. Precisamos puxar, levantar, andar, correr, segurar, resistir, defender, enfrentar os contratempos. E educar, afinal, não é uma luta exigente?

O escritor japonês Haruki Murakami, correndo longas distâncias e observando-se a si mesmo nessa atividade, fez interessantes descobertas sobre seus músculos, seu corpo, sua atividade intelectual e sua personalidade.

"SEM UMA BASE SÓLIDA DE FORÇA FÍSICA NÃO SE REALIZA NENHUMA TAREFA INTELECTUAL COMPLEXA."

(Haruki Murakami)

Murakami relata no livro *Do que eu falo quando eu falo de corrida* suas experiências como maratonista. O objetivo não é (nem nunca foi) chegar em primeiro lugar. O objetivo era, e é, o de conhecer-se melhor. Perceber, por exemplo, que seus músculos são tão ou mais teimosos do que ele.

Acordando cedo para treinar, o escritor ganhou disciplina, autoconfiança e esperança. No início do dia, os pés não aceitam sequer caminhar. Depois, vão ganhando força, velocidade.

Uma lição muscular simples é a de que, ao questionar a inércia, o otimismo vem ao nosso encontro. A reação positiva às dificuldades e aos obstáculos da vida são o melhor remédio para o desânimo. Mesmo que precisemos de um algum tempo para esquentar, a persistência humilde nos fará acelerar e depois seguir em frente, com valentia.

Analisando suas características inatas como corredor, analisando seu próprio corpo em ação, Murakami entendeu que seus músculos estão conectados com sua mente. E suas perguntas, a partir dessa constatação, podem ser inspiradoras: "A mente da pessoa é controlada por seu corpo, certo? Ou será o oposto – o modo como sua mente funciona influencia a estrutura de seu corpo? Ou será que corpo e mente influenciam estreitamente um ao outro e agem um sobre o outro?".

SUGESTÃO

> Em atividades físicas regulares, ou simplesmente ao subir um lance de escadas, confie em seus músculos.

Olfato

Embora o poder olfativo humano seja bem menos desenvolvido do que o de muitos outros animais (para os quais este é um recurso fundamental na luta pela sobrevivência), compensamos essa limitação com a capacidade de interagir racionalmente com o ambiente.

De qualquer modo, pelo olfato ainda detectamos algumas ameaças que, num primeiro momento, não conseguiríamos constatar diretamente.

O olfato nos ajuda a descartar alimentos estragados, a evitar a sujeira com perigo potencial para a saúde e a perceber se algo está queimando por perto ou se há vazamento de gás em casa. Mas não vamos muito mais longe do que isso, razão pela qual, em casos mais difíceis (sobretudo no resgate de seres humanos e na busca de drogas ilícitas), recorremos aos cães farejadores, cujos focinhos são infinitamente mais sensíveis aos odores do que os nossos narizes.

Se tivéssemos que sacrificar um dos nossos sentidos, não hesitaríamos em preservar a visão e a audição. Sobrariam o paladar, o tato e o olfato. Qual deles você aceitaria perder? Há quem talvez renunciasse ao tato. Outros, ao olfato.

Quem valoriza o olfato e não pensa que seja ele o menos importante entre os cinco sentidos tem razões que precisamos conhecer melhor.

Na linguagem, registra-se a nossa percepção de que "algo aqui não cheira bem", de que uma ou outra pessoa "não é flor que se cheire", de que poucos recursos "não dão nem para o cheiro" e de que certas coisas são tão inexpressivas que "não fedem nem cheiram".

O olfato é instrumento de intuições éticas, e isso não é nada irrelevante!

"SENTI UM CHEIRO ADOCICADO, COMO ALGODÃO-DOCE RECÉM-FEITO."
(Jan-Philipp Sendker)

Do ponto de vista emocional, aromas agradáveis nos remetem a momentos significativos do passado e têm papel importante na convivência amorosa.

Quem gosta muito de livros, geralmente gosta também de cheirar as páginas recém-impressas. Sente nisso o prazer que outros odores proporcionam, sobretudo aqueles associados à infância ou a episódios biográficos significativos: o cheiro da maresia quando estávamos na praia durante as férias, o cheiro da terra molhada depois da chuva, o cheiro do pão fresquinho comprado logo cedo, o cheiro do lustra-móveis que se usava em casa, o cheiro da naftalina que a vovó colocava dentro dos armários, sem falar do cheiro da folha mimeografada de que muitos ainda se recordam da época em que estudavam ou lecionavam...

O universo dos osmólogos (especialistas em aromas que trabalham especialmente na indústria automotiva e na indústria de perfumes) tem uma riqueza própria, mas ainda mais sugestivo é o universo aromático dos poetas, como se lê num texto de Vinicius de Moraes, "Sentido da primavera", escrito em 1944.

O poeta se dá conta de que a primavera chegou e sua sensibilidade olfativa está mais receptiva do que nunca. Sentindo milhões de cheiros, enumera os que mais lhe saltam ao nariz: o cheiro da miséria, o cheiro do nazismo (que é inodoro), os cheiros do amor e da solidão, o cheiro doloroso da morte e o odor do nascimento, o cheiro da areia, o cheiro da cachaça e do queijo, o cheiro da gasolina, do café, cheiros naturais e sobrenaturais, e o cheiro, enfim, da própria primavera e, dentro dela, "um cheiro mágico de paz".

Uma descoberta que pesquisas científicas trouxeram a público não faz muito tempo é a de que nosso olfato pode desenvolver-se. Há espaço para aprender também nesse ponto, ampliando nossa aptidão para identificar e memorizar uma imensa quantidade de cheiros.

SUGESTÃO

Faça uma lista dos muitos cheiros que você é capaz de reconhecer.

Ossos

A expressão "osso duro de roer" permite duas leituras, dependendo da intenção do falante e do contexto da fala.

Pode indicar algo difícil de suportar ou aceitar. É o que acontece no dia a dia de todos, e de modo especial no cotidiano escolar. A profissão docente tem suas alegrias, mas sabemos também dos seus problemas e dificuldades.

Numa segunda possibilidade de interpretação, o "osso duro de roer" designa uma pessoa corajosa, que não se deixa abalar, que não se dobra.

Os ossos são símbolos de firmeza e de continuidade. Em algumas culturas antigas, representam também o essencial da vida. Aquilo que permanece. Que não pode ser destruído tão facilmente.

"MINHA HISTÓRIA ESTÁ ESCRITA NOS MEUS OSSOS."
(Marcelino Freire)

Em qualquer profissão, existem os chamados "ossos do ofício". São aquelas tarefas que exigem esforço, destemor, persistência. O ofício de professor, como escreve o educador espanhol Jorge Larrosa em seu livro *Esperando não se sabe o quê*, é um ofício como outro qualquer, com todos os seus ossos, "no qual é preciso fazer as coisas da melhor maneira possível e em que é preciso tratar de encontrar, isso sim, algum prazer e alguma alegria".

Os estudiosos da anatomia como Hugh Aldersey-Williams concordam em reconhecer que os ossos são uma "maravilha estética e de engenharia". Mas são trabalhadores "modestos", estão escondidos, carregando todo o nosso peso. Essa estrutura oculta (temos um pouco mais de duzentos ossos) está sempre a serviço dos nossos movimentos e ações.

A realidade óssea de uma pessoa serve muito bem como metáfora para o papel da educação. Escondida, a atividade dos professores é o que dá sustentação ao corpo social. Uma sociedade invertebrada não se mantém de pé. Não anda, não corre, não progride.

Um paradoxo a ser considerado é o de que os ossos são muito mais leves do que talvez imaginamos. Em média, numa pessoa com 1,80 m de altura e pesando 80 kg, todos os seus ossos não pesam mais de 13 kg. *Grosso modo*, um osso que pesa 1 kg é capaz de carregar 6 kg de carne.

Também os educadores não são um peso muito grande para a economia de um país, em comparação com a nossa função basilar. Ao contrário, somos os que movimentam a economia, porque todos os profissionais que geram riquezas com seu trabalho são formados por professores.

O peso leve de nossos ossos contrasta com a enorme força que produzimos. E há mais uma característica física inspiradora a se observar: cada osso está ligado a pelo menos outro osso, de modo que, além da leveza, é na articulação entre si que as diversas etapas escolares e acadêmicas contribuem para o caminhar normal de todos os cidadãos.

Quanto aos ossos de uma pessoa concreta, como acontece com o seu corpo inteiro, trata-se de realidade dinâmica, em constante jogo de crescimento e desgaste.

O segredo (que todos conhecem) para uma boa saúde óssea é cultivarmos um estilo de vida em que o sedentarismo seja substituído, por exemplo, pelas caminhadas ao sol (sem exposição exagerada) e, evitando o excesso de bebida alcoólica e o cigarro, ter uma alimentação equilibrada em quantidade e qualidade.

SUGESTÃO

Reserve tempo para caminhar sob o sol, praticando um exercício simples e meditando sobre o poder da educação.

Pele

A pele humana pode ser vista como uma superfície esteticamente disponível para intervenções como a tatuagem, com a qual braços, pernas, costas e outras partes do corpo podem ser preenchidas com imagens e textos.

Tatuagens ostentam símbolos, homenagens, ideologias. Fazê-las por impulso pode provocar dolorosos arrependimentos. Por isso, é bom pensar duas ou mais vezes antes de decidir. Com a pele não se brinca!

Mas a pele em si mesma já traz mensagens a nosso respeito. A nossa cor de pele deveria ser respeitada pelos outros e ser sempre nosso motivo de orgulho, na medida em que a história de uma família, de um povo e da própria humanidade está nela representada.

Na pele de cada pessoa há incontáveis outras peles do passado, de algum modo, ali presentes.

Mais do que uma simples tela, em que expomos o que pensamos e somos, a pele nos põe em contato com o mundo.

É graças ao sentido do tato que abraçamos e somos abraçados.

O contato da pele da mãe com a do filho recém-nascido é determinante para a relação que essa nova criatura terá com quem a gerou e com os outros ao longo da vida.

O carinho físico entre pessoas que se gostam, tendo por base o absoluto respeito aos limites de cada tipo de relação, é uma clara manifestação de nossa condição de seres táteis.

Aprendemos através de nossas capacidades visuais, auditivas, olfativas e gustativas. O tato, porém, cuja participação na dinâmica do conhecimento é inestimável, pode permanecer injustamente esquecido.

No seu livro *El sentido olvidado: ensayos sobre el tacto* (O sentido esquecido: ensaios sobre o tato), o professor argentino Pablo Maurette faz-nos ver que a pele, o maior órgão do corpo humano, é ambivalente. Ela nos separa do mundo (protegendo nossas entranhas) e nos põe em contato com ele constantemente. Sendo nossa fronteira entre o interior e o exterior ao corpo, entre um indivíduo e o corpo coletivo, entre uma pessoa e outra pessoa, é mais do que mera fronteira.

É a única forma de podermos conviver, sendo quem somos.

Se perdêssemos toda a nossa pele, simplesmente deixaríamos à mostra um paradoxo desconcertante, como escreve o professor Maurette: "A identidade secreta sob a máscara não é a carne nem os órgãos internos que a pele encobre, mas a própria pele".

"O QUE HÁ DE MAIS PROFUNDO NO HOMEM É A PELE."

(Paul Valéry)

Ao respeito que nossa pele merece e ao orgulho que dela devemos ter cabe acrescentar ainda outra atitude: o cuidado.

Cuidar da pele é cuidar de nós mesmos, pois é nela que experimentamos o tempo todo sensações de prazer e de dor, sensações essas ligadas ao modo como nos relacionamos com o entorno.

A pele é um órgão de expressão de nossos sentimentos e concepções de mundo, segundo Hans Morschitzky, "é o espelho da alma", quando nos ruborizamos, ou empalidecemos, ou ficamos arrepiados, ou suamos frio, ou surgem alergias cutâneas.

Enfim, precisamos desenvolver uma importante virtude docente, que é "estar na pele" dos alunos, escolhendo os melhores modos de ensinar, em consonância com o modo de ser das outras pessoas.

SUGESTÃO

Reconheça em sua pele as marcas de sua mais profunda identidade.

Pés

Quem "mete os pés pelas mãos" confunde uma coisa com outra, atrapalha-se, não sabe que rumo tomar, não sabe direito o que fazer em situações exigentes.

No campo da educação, de modo especial, há pouco espaço para confusões. As mãos devem emancipar nossos alunos, e os pés, caminhar com eles.

Por outra parte, também não podemos arredar o pé do compromisso educacional, das nossas ideias e convicções. Os pés são raízes que asseguram o nosso posicionamento.

Entre os membros inferiores (os da cintura para baixo), os pés ocupam o lugar mais baixo, e justamente por isso esperamos que sejam fortes, resistentes, bem direcionados.

Manter-se de pé, por consequência, é fundamental em nossa tarefa docente. Quantas e quantas horas de pé, ensinando e professando a crença de que vale a pena aprender!

Em seu livro *Corpo: território do sagrado*, Evaristo Eduardo de Miranda recomenda que as mãos se dediquem a cuidar mais dos pés. Que sejam usados neles cremes, loções, emolientes, amaciadores, talcos, além de palmilhas e massagens. Nossos pés merecem e precisam de tais cuidados. Esquecê-los é deixar que a correria contemporânea, os obstáculos cotidianos, os tropeços inevitáveis e outros pequenos e grandes sofrimentos provoquem neles dores e deformações que tornam a caminhada ainda mais difícil.

Muitas vezes, os pés se calam, escondidos sob meias e sapatos. É bom que, regularmente, andem nus, peguem sol, toquem a terra, sintam-se ligados à natureza.

> **"MÃO É CULTURA. PÉ É NATUREZA. AS MÃOS QUASE FALAM, OS PÉS SÃO MUDOS."**
>
> (Mário Corso)

Embora mudos e humildes, os pés têm simbologia fortíssima. Com os pés, somos realistas, escutamos a voz da matéria, mantemos o equilíbrio e conduzimos o corpo na busca pelo conhecimento.

Há quem veja na palavra grega *podós* (pé) ligações e ressonâncias com outra palavra grega, *paidós* (criança). O pedagogo (*paidagogós*) era o escravo encarregado de levar as crianças à escola e, no caminho, dirigindo seus passos, certamente contava histórias fantásticas sobre outras terras pelas quais tivesse andado.

Mantenhamos os pés no chão, sem romantismos baratos. E, sem superstições, saibamos começar o dia com o pé esquerdo ou com o pé direito. Dizem que é melhor levantar-se da cama com o pé direito, ou entrar com o pé direito no campo de futebol, ou, no caso da vida docente, entrar na sala de aula com o pé direito...

Vejamos os dois lados da história: o pé direito está associado à razão, ao planejamento, ao sucesso garantido; o pé esquerdo, à intuição, à improvisação, aos riscos da inovação. Nem sempre o primeiro será o pé direito. Nem sempre será o pé esquerdo. Ambos os pés podem nos dar muita sorte!

E os pés deixam pegadas, quando já estamos em outros lugares, percorrendo outros caminhos. Pegadas são marcas vivas de uma experiência docente pessoal. Algo mais (muito mais) do que repetir instruções, garantir rotinas ou ficar marcando passo.

Contudo, nossas pegadas não foram as primeiras no mundo. Antes delas, as pegadas de nossos mestres nos orientaram. E, como Sherlock Holmes costumava dizer, não há nada mais importante na ciência detetivesca (ou, dentro do nosso interesse, nas pesquisas que os docentes devem realizar) do que a arte de seguir e interpretar pegadas.

SUGESTÃO

> Sempre que puder, tire os sapatos e coloque os pés para cima.

Pulmões

Os pulmões, numa visão mecanicista, são considerados simplesmente a nossa máquina respiratória. O que não deixa de ser verdade. Mas é possível pensar neles por outros ângulos.

Respiremos fundo para aprofundar um pouco mais nesse tema!

"Depois da pele, os pulmões são o nosso segundo órgão mais importante de comunicação", afirma Rüdiger Dahlke. O que equivale a dizer: nós recebemos o sopro da vida ao aspirar, e comunicamos o sopro da palavra ao expirar.

Essa troca é ela própria vital porque, sem ela, ficamos literalmente asfixiados, isolados de tudo. Do ponto de vista relacional, também corremos o risco de sufocar, sem a permuta de ideias, palavras, modos diferentes de entender o mundo.

A nossa inserção comunicativa na realidade, na atmosfera ao redor, implica uma espécie de respirologia, por meio da qual poderíamos manter uma relação sempre inspiradora com a vida. Como respirar melhor? Com mais qualidade? Com mais serenidade? Com mais amplitude?

Intuitivamente, sabemos que respirar fundo, preenchendo os pulmões e expirando de forma completa, conscientemente, beneficia o organismo. Eliminam-se toxinas e gases nocivos. Oxigenamos o corpo. A partir dessa intuição, vale a pena conhecer e praticar técnicas de respiração bem fundamentadas.

Nas antigas tradições, atribuía-se aos pulmões a tarefa de dar ritmo à vida, e, por isso, em tempos de estresse, reeducar a respiração é ganhar fôlego, literal e psicologicamente.

"NUNCA PENSEI QUE COUBESSE TANTO AR EM MEUS PULMÕES."
(Paulo Mendes Campos)

Nossa respiração está sujeita a mudanças emocionais, como o medo, a raiva, a angústia, a alegria e o entusiasmo.

Nos pulmões, as emoções nos capturam sem disfarce.

Todos precisamos, portanto, de um respiro, de tomar um ar, de momentos de espiritualidade (lembrando que, em latim, *spiritus* significa "ar", "vento", "energia") para administrar as sobrecargas emocionais e reabsorver o sopro da vida, que guarda dimensões cósmicas.

O próprio fato de estarmos vivos depende desse sopro, como sugere Clarice Lispector em *Um sopro de vida* (*pulsações*): "As coisas obedecem ao sopro vital".

Vale a pena fazer passeios que nos afastem um pouco de ambientes poluídos. Nada como respirar ares novos e renovadores! Hilda Hilst, numa crônica, queixava-se da poluição urbana: "As indústrias automobilísticas continuam fabricando milhões de carros, e teus pulmões enegrecem num único passeiozinho pela cidade... e você estertora de tosse".

A respiração reflete nossas opções de vida e nossas reações aos acontecimentos diários. Viver afobados desregula nossa ação. Cair na euforia perturba a respiração serena, com a ajuda da qual damos atenção às nossas prioridades. Se a euforia nos tira do sério, mais ainda os medos e ansiedades, que nos sufocam e paralisam. No caso da "angústia", a própria palavra remete à sensação de estreitamente da garganta e à dificuldade de respirar.

Temos de proteger nossos pulmões, e por isso jamais será excessivo recordar os perigos óbvios do fumo. O tabagismo é uma doença crônica, responsável pelo desenvolvimento de dezenas de outras doenças, como o câncer. E não só nos pulmões.

Reaprender o óbvio e ensiná-lo: respirar bem é uma questão de vida ou morte.

SUGESTÃO

Dê aos seus pulmões a chance de expandir-se em lugares onde haja menos poluição ambiental e emocional.

Roupas

As roupas são a nossa segunda pele, e fazem parte também da nossa linguagem corporal.

Quanto mais incorporamos as roupas que usamos, isto é, quanto mais nos identificamos com o que vestimos, mais fortemente percebemos e somos percebidos como um "eu vestido" com tais e tais características de personalidade e exercendo determinados papéis sociais.

À primeira pele acrescentamos essa segunda, e a essas duas podemos acrescentar uma terceira "pele" (o automóvel), e ainda uma quarta "pele" (a casa). Vamos, assim, nos revestindo e ao mesmo tempo nos redefinindo.

Há professores (embora pouquíssimos, é verdade) que ainda advogam o uso do guarda-pó, que protege as nossas roupas quando usamos o giz. Contudo, se não houver mais giz, o guarda-pó perderá de vez essa função na prática docente.

Se, por um lado, as roupas são necessárias para a proteção ao corpo, contra o frio e outras ameaças naturais, constituem-se também como formas de adesão ao entorno – seja pela imposição da indústria da moda, seja pelo gosto aprovado por diferentes grupos.

Do ponto de vista individual, cada pessoa, dentro de suas possibilidades financeiras, para mais ou para menos, de acordo com seu somatótipo e vivenciando uma biografia sociocultural específica, irá escolher as vestimentas que lhe caiam bem ou que a ajudem a participar do jogo da convivência.

Já dizia um antigo ditado português: "Ande eu frio ou quente, ria-se a gente". Estando eu à vontade dentro das roupas que uso, não devo me importar com o que os outros pensam ou deixam de pensar. O conceito de ridículo é relativo.

Boa parte da elegância no vestir-se está na opção por aquelas roupas que nos deem segurança, pelas cores, pelo acabamento, pelo estilo, pela mensagem que comunicam.

O diretor de uma escola pública fazia questão de usar diariamente terno e gravata, como parte de sua estratégia de valorização das próprias gestão e tarefa docentes. Não era inútil vaidade, mas orgulho legítimo de educador. E era, além disso, uma forma de transmitir visualmente, aos professores e alunos, que ele se enxergava como gestor de um empreendimento que exigia, sim, aquele traje.

"TODA ROUPA CONTA UMA HISTÓRIA, QUASE SEMPRE BEM SUTIL, SOBRE QUEM A USA."
(Desmond Morris)

É verdade que roupa suja se lava em casa, e isso também nos ajuda a pensar que os problemas da educação devem ser tratados dentro da casa da educação.

Os que estão revestidos de conhecimentos de outras áreas (economia, psicologia, medicina etc.) podem e devem contribuir, mas é no âmbito do saber pedagógico que podemos cuidar melhor de nossas questões.

Quanto aos uniformes escolares: é uma questão em aberto. O que de modo algum condiz com os melhores projetos educacionais, e diz respeito aos modos de aprender, é uma uniformização e uma padronização que não levam em conta as peculiaridades pessoais.

Não há por que adotar, na arte de aprender e ensinar, a roupa feita, produzida em série.

O ideal sempre desejado (porque a educação sem utopia pode vir a tornar-se mera burocracia) é o de uma roupa feita sob medida para cada pessoa, em sua singularidade.

SUGESTÃO

Pense na mensagem que você envia aos demais com o vestuário de sua escolha.

Sangue

Numa de suas tiradas humorísticas (que tocavam questões muito sérias), Millôr Fernandes escreveu: "Tempo é sangue!". Acompanhava a frase o desenho de um homem que abrira uma veia do braço e fazia escorrer seu sangue para dentro de uma ampulheta.

A frase brinca com o famoso adágio atribuído a Benjamin Franklin: "Tempo é dinheiro".

A *blague* de Millôr faz pensar no sangue como um elemento de vida e morte que circula por todo o organismo, levando nutrientes e eliminando toxinas. A permanência do indivíduo no tempo depende dessa circulação contínua. Nosso sangue não tem preço!

A expressão "dar o sangue" significa dedicar-se integralmente a uma tarefa, empenhar-se com toda a alma para atingir um objetivo. Educar exige essa dedicação e esse empenho, o que torna valiosa cada gota de sangue docente.

Uma educação anêmica precisa de sangue vivo, ativo, e esse sangue, metafórico, depende do sangue oxigenado de um corpo saudável.

"DE TODOS OS TEXTOS SÓ ME AGRADA AQUILO QUE UMA PESSOA ESCREVEU COM SEU SANGUE."

(Friedrich Nietzsche)

O corpo saudável, como sabemos, decorre, em boa parte, de uma alimentação variada e equilibrada. Um hemograma completo nos dirá em que medida estamos nos descuidando.

O sangue não pode ser fabricado, e é um forte símbolo da fraternidade humana o fato de que, por vezes, precisamos doar e receber sangue de outras pessoas.

Campanhas educativas sobre a doação de sangue devem ser promovidas, não só na escola, mas na mídia, nas comunidades religiosas, dentro das empresas. Faz bem doar, não porque "purifique" o sangue do doador, ou o ajude a emagrecer (essas e outras falsas ideias sobre a doação devem ser esclarecidas), mas porque contribui para que os bancos de sangue salvem outras vidas humanas.

Pensando em termos de ascendência, nenhum sangue é "azul", e todos os sangues são nobres. Nobres, porque humanos.

O sangue, circulando velozmente pelo corpo humano, não faz distinção de órgãos. Passa por todos, a todos irriga com sua riqueza. O sangue é generoso. E esse pressuposto de igualdade é algo medular na educação!

O sangue só deve ferver se a indignação for justa. Ter "sangue de barata" não é coisa humana. Se não for por algo que valha a pena, porém, mantenhamos o sangue-frio, o autocontrole, a presença de espírito.

Aliás, espírito não tem sangue, mas tudo o que o espírito promove como efusão, veemência e ardor faz o sangue pulsar mais rápido. E contribui para a renovação do corpo social.

O pensamento de Nietzsche sobre a importância do que se escreve com sangue remete a essa convicção enérgica e vigorosa.

Uma antiga classificação de temperamentos atribuía aos sanguíneos características como o entusiasmo, a comunicabilidade, a impulsividade, e também a tendência ao exagero emocional e certa superficialidade.

Podemos, talvez, ser menos expansivos, ou mais voluntariosos, ou mais reservados. Contudo, quem não tem sangue nas veias? Todos temos, e esse sangue expressa a alegria que vem de dentro, fruto da confiança na vida e do desejo autêntico de deixar para o futuro um legado significativo.

SUGESTÃO

Doe sangue com regularidade e, se não puder, explique a outras pessoas a importância desse gesto.

Sexualidade

Os prazeres encontrados no sexo não vêm isolados do contexto humano. Por mais solitários, recatados ou escondidos que às vezes possam ser, estão vinculados ao comportamento de uma ou mais pessoas, e esse comportamento, de modo direto ou indireto, sempre interfere na vida dos outros.

Quando cercada de vergonha, medo, ignorância, nojo, violência, ansiedade, egoísmo e tantas outras atitudes e sentimentos nocivos, a sexualidade torna-se, mais cedo ou mais tarde, fonte de sofrimento e de culpa.

Por isso, é insuprimível uma educação sexual capaz de nos apresentar o panorama mais amplo da afetividade humana, no qual o sexo se insere quando há verdadeiro amor de compromisso, e as duas pessoas se sentem escolhidas e acolhidas uma pela outra de modo incondicional, podendo incluir a possibilidade de geração e criação de seus filhos.

Quando desvinculada de um relacionamento de ternura, generosidade, respeito mútuo e fidelidade, a prática da sexualidade pode até satisfazer a carência física individual, mas dificilmente evitará as sombras da solidão e da insegurança.

Em outras palavras, a sexualidade descomprometida é só parcialmente satisfatória. Não preenche todas as nossas necessidades como seres que buscam o sentido da vida.

A reciprocidade das carícias sexuais, por mais arrebatadoras e extasiantes que sejam, requerem outras dimensões de reciprocidade. E é nessas outras dimensões que se encontra, aliás, o seu significado mais verdadeiro.

A reciprocidade entre duas pessoas que se amam e não apenas se desejam fisicamente tende a abranger o campo das ideias, dos sentimentos, dos valores, dos relacionamentos de parentesco e amizade do casal e seus projetos pessoais de futuro, conjugados numa vontade aberta de diálogo e compreensão.

Em suma, a experiência sexual passageira e descontínua não corresponde ao desejo profundamente humano de união pessoal duradoura, afirmativa, que materializa outro desejo nosso, ainda mais universal, que é o de amar e ser amado.

Estamos falando, afinal, do desejo da maior felicidade possível.

A sexualidade, a exemplo do que acontece com outras experiências humanas de grande intensidade física, como comer e beber, pode transformar-se numa obsessão, deixando de ser ocasião de alegria para se transformar em força tirânica e incontrolável contra nós mesmos.

"MEU SEXO É LIGADO AO MEU CORAÇÃO E AO MEU CÉREBRO."

(Murilo Mendes)

Assim como a sexualidade não está desconectada do contexto humano e dos nossos anseios afetivos, emocionais e intelectuais mais íntimos, também não está desassociada da educação e da ética.

A ética sexual centra o seu olhar na pessoa como um todo, a fim de nos mostrar que o terreno "puramente sexual", embora pareça cercado de uma aura paradisíaca, cedo ou tarde revela a sua conexão real com tudo o que compõe a vida humana e social.

Uma visão antropológica integral confere ao tema da sexualidade seu mais alto valor, contribuindo para uma pedagogia realista, livre da tentação moralista e que não se deixa fascinar pela ideia de uma liberdade sexual sem parâmetros ou limites.

Será exigido de nós, então, estarmos cientes e conscientes da complexidade em jogo, e de como, segundo o filósofo e psiquiatra vienense Rudolf Allers, "a melhor educação geral é, ao mesmo tempo, a melhor educação sexual".

SUGESTÃO

> Reflita sobre a sexualidade, procurando relacioná-la com todos os aspectos da vida humana.

Sono

A qualidade do sono merece toda a nossa atenção.

É graças ao sono profundo que nosso corpo realmente descansa e, ao acordarmos, quase como num repetido ato de ressurreição, nos sentimos renovados para o dia que desponta, para a vida que recomeça.

Durante o sono, o corpo quase imóvel, mergulhamos em nós mesmos. No universo onírico, temos experiências que sugerem uma riqueza pessoal inesgotável.

O sono tem se constituído um importante campo de estudo médico desde meados do século XX. A ciência reconhece, porém, que ainda há muito a descobrir sobre esse período recorrente de, em média, seis a oito horas, em que, entregues à vulnerabilidade da inconsciência, damos uma pausa no ritmo estressante do dia, permitindo ao organismo buscar o equilíbrio hormonal e desencadear processos curativos, tanto do ponto de vista físico quanto psíquico.

Os distúrbios do sono são inúmeros. Os mais evidentes ocupam dois extremos: a falta (hipossonia) e o excesso (hipersonia) de sono. Ambos recomendam uma análise, não apenas do sono em si, mas de tudo o que envolve nosso dia a dia, nossas correrias, canseiras e expectativas.

Paradoxalmente, as horas de sono e de inatividade externa liberam o organismo para trabalhar silenciosa e eficazmente para a sua autoconservação. O retorno a um estado quase não humano (e por isso se diz que alguém "dorme como uma pedra") possibilita ao corpo realizar funções vitais inadiáveis.

"O SONO É A PRIMEIRA NECESSIDADE DO SER HUMANO."
(Alain)

Há hoje, no entanto, algo ainda mais interessante na defesa do nosso sono.

Exatamente por ser uma luta a favor da saúde e da integridade pessoal.

Como argumenta o professor e crítico de arte moderna Jonathan Crary, em seu livro *24/7: capitalismo tardio e os fins do sono*, trata-se de não sucumbir a essa ambição desmedida do universo "24/7", em que, durante as 24 horas do dia, ao longo de todos os 7 dias da semana, a pessoa se vê impulsionada a viver acordada, trabalhando, consumindo, conectando-se, como se o sono fosse algo indesejável e descartável.

Crary constata que nossas necessidades irrevogáveis (fome, sede, desejo sexual, sociabilidade) foram transformadas em mercadorias. Já o sono não se insere na lógica do lucro, do consumo. "Apesar de todas as pesquisas científicas", escreve ele, o sono "frustra e confunde qualquer estratégia para explorá-lo ou redefini-lo. A verdade chocante, inconcebível, é que nenhum valor pode ser extraído do sono".

Cuidar do sono, horas "inúteis" para o mercado, é cuidar de uma "produtividade" mais essencial: a da lucidez necessária para discernir o melhor a se fazer.

Temos de dormir bem para ensinar bem. Para ensinar, por exemplo, tomando agora o sono em sentido menos positivo, que há uma diferença radical entre quem está dormindo e quem está acordado.

Quem está dormindo não sabe que está dormindo e nem quem está acordado.

Quem está acordado sabe, sem nenhuma dúvida, quem está dormindo e, perfeitamente, que está acordado.

O detalhe é que, para estar bem acordado, é preciso ter tido um sono reparador.

SUGESTÃO

Considere as horas de sono o melhor investimento em sua saúde e eficácia profissional.

Visão

Costuma-se recomendar que todo profissional desenvolva uma visão periférica, capaz de alcançar novas possibilidades de ação, tanto no sentido horizontal (plano da realidade imediata) como no vertical (plano das transcendências).

O adjetivo "periférica" também permite imaginar que uma pessoa "visionária" não perderá de vista as periferias da existência. Consegue enxergar aquilo que está à margem, as pessoas invisíveis, consideradas irrelevantes, os problemas que muitas vezes ninguém quer olhar.

Na tarefa docente, temos de voltar nossos olhos para todos os lados.

A visão abrange outras duas facetas semânticas: a visão direta como resultado mesmo do sentido visual, e a visão como interpretação da vida.

Mas não devemos nos concentrar apenas nos globos oculares alojados em nosso crânio e suas estruturas anexas, como a córnea, a íris, a retina etc.

Nossos olhos merecem todos os cuidados do mundo, certamente. As recorrentes imagens usadas para descrevê-los – janelas, espelhos, candeias – remetem à captação luminosa da realidade, ao brilho perspicaz, em contraste com a miopia ou com a escuridão da cegueira.

É necessário lembrar, no entanto, que o tato é a origem da nossa visão física (e dos demais sentidos), como ensina Ashley Montagu em seu livro *Tocar: o significado humano da pele*. Vemos com os olhos, é evidente, mas podemos ver (dilatando o significado do verbo "ver") com todo o nosso corpo. O tato vê a espessura, a profundidade, a textura, a forma, o calor, o frio, o vento, vê até (há quem diga) as cores.

A partir dessa valiosa pista, considerando a visão como extensão e especialização do tato, e o tato como órgão perceptivo visualizador (embora seu prestígio sociocultural seja menor do que o da visão e da audição), o arquiteto finlandês Juhani Pallasmaa escreveu *Os olhos da pele*, em que nos convida a relativizar a hegemonia da visão e reconsiderar a competência sensorial de todo o nosso corpo.

Ou seja, podemos dizer que tudo em nós é vontade de ver. Que é, afinal, vontade de conhecer.

**"O OLHO QUE TU VÊS
NÃO É OLHO PORQUE TU O VÊS.
É OLHO PORQUE TE VÊ."**

(Antonio Machado)

A segunda faceta semântica de visão nos direciona ao conceito de cosmovisão, uma visão sobre a totalidade das coisas. Tal visão é, mais propriamente falando, uma contemplação.

Contemplar é refletir sobre o que vemos com uma disposição que ultrapassa a observação e a descrição. Observar e descrever correspondem ao trabalho da ciência, importantíssimo para a sobrevivência e para o desenvolvimento do ser humano. A ciência elabora teorias (visões) que possibilitam decisões ponderadas e realizações concretas.

A contemplação vai além, na medida em que nos leva a meditar sobre tudo o que existe, sem a preocupação em produzir nada. A contemplação interroga para ver melhor. Interroga para compreender.

Ao compreendermos um pouco melhor tudo aquilo que somos e o que nos rodeia, crescemos em sabedoria. E a sabedoria assegura que a ciência não se volte contra nós.

Na educação, dedicamos nosso tempo a "saber fazer" e a "fazer saber".

O corpo docente, na contemplação, descobre o terceiro objetivo: "saber saber".

SUGESTÃO

> Lendo um livro, ou diante do celular, olhe de vez em quando para o infinito, e medite.

Voz

O silêncio contemplativo dará à nossa voz mais autoridade.

Porque, a rigor, não é preciso gritar para se fazer ouvir. Todas as vozes (as docentes e as discentes) têm direito a se manifestar e a serem ouvidas.

Cada uma em seu momento, em diálogo.

Aliás, a expressão "ser ouvido" traz em si uma ambivalência instrutiva. Quem faz uso da voz quer ser ouvido, o que é natural, mas também precisa ser ouvido, tornar-se ouvido, isto é, precisa estar disposto a ouvir a voz dos outros.

Um dom que não podemos perder é o de ouvir vozes. Não necessariamente as misteriosas vozes do além, mas as vozes das pessoas que estão mais próximas de nós.

Há muitas pessoas sem voz pelo simples fato de não serem ouvidas, em suas casas, na escola, na sociedade em geral.

Também devemos dar ouvidos à nossa própria voz, levando em conta inclusive o grande "investimento" que o nosso corpo faz para produzi-la.

Sendo a voz a expressão de uma pessoa como um todo e modo privilegiado de externar ideias, sentimentos e desejos, o corpo dotou-se de um aparelho fonador altamente complexo, do qual participam o diafragma (principal músculo da respiração), os pulmões, a laringe (em cujo interior estão as duas pregas vocais), a faringe, as cavidades bucal e nasal, e cerca de cem músculos diferentes.

Todo esse "maquinário" está a serviço de uma voz que, em cada ser humano, é particular e inconfundível. Por mais que alguém imite a nossa voz, e o faça com perfeição, não tem a menor condição de reproduzi-la de modo natural.

A imitação de uma voz pode ser uma homenagem (ainda que, em geral, esteja mais para deboche) que afirma justamente isso: a voz imitada é a própria pessoa (inimitável) à qual se faz referência.

"EU ME RECONHEÇO NA MINHA VOZ."
(Fernando Manoel Aleixo)

Educar a própria voz é, primeiramente, conhecê-la.

Embora cada pessoa tenha sua própria voz, registram-se alguns tipos característicos em que podemos, em parte, nos enquadrar.

Há vozes aflautadas. Há vozes desafinadas. Há vozes muito baixas. Outras, gritantes. Há vozes lentas. Outras, velozes. Há vozes roucas. Há vozes hesitantes. Há vozes doces. Há vozes graves. Sem falar daqueles momentos da vida em que nossa voz sofre alterações em decorrência de estados de ânimo mais ou menos duradouros.

De qualquer forma, é possível reeducar a voz, caso tenhamos a disposição de exercitar o autoconhecimento também nesse ponto.

Ouvir gravações de nossa voz ajuda a detectar mudanças possíveis, que passam por novas atitudes e modos de conversar com a vida.

A nossa voz, mantendo-se como nossa marca registrada, é aperfeiçoável, pois o próprio ser humano é perfectível. (Não queiramos, porém, exigir dela e de nós o impossível.)

De qualquer modo, por ser a voz tão importante para a tarefa docente, vale a pena lembrar dos cuidados básicos: beber água com a devida frequência, tomar cuidado com o ar condicionado (que resseca as pregas vocais), não fumar, evitar o pigarro e até mesmo cochichos e sussurros. E, claro, além de ouvir esses conselhos, consultar um fonoaudiólogo sempre que necessário.

SUGESTÃO

Descubra os poderes comunicacionais ainda ocultos em sua voz.

Conclusão

Fizemos até aqui um exame, se pudermos falar assim, do corpo docente, procurando ouvi-lo e, em resposta, conceber uma pedagogia do corpo.

A breve análise das trinta palavras-chave e as sugestões de cuidado corporal são um ponto de partida para que prossigamos em contínuo aprendizado, condição *sine qua non* para desempenharmos bem nossa profissão.

Para concluir, abrindo caminho para futuras leituras e conversas, pensemos no que é essencial em nosso corpo vivo, lembrando da letra de uma das mais conhecidas produções do repertório da cantora estadunidense Nina Simone, pianista, compositora e ativista dos direitos humanos:

Eu nada tenho / Eu tenho vida

Não tenho casa, não tenho sapato
Não tenho dinheiro, não tenho aula
Não tenho saia, não tenho agasalho
Não tenho perfume, não tenho cama
Não tenho homem!

Não tenho mãe, não tenho cultura
Não tenho amigos, não tenho escola
Não tenho amor, não tenho nome
Não tenho tíquete, não tenho passe
Não tenho Deus!

Então o que é que eu tenho?
Porque, afinal, eu estou viva!
Sim! É claro que eu estou!
E o que tenho ninguém vai poder tirar!

Tenho cabelo e cabeça
Tenho miolos e ouvidos
Tenho olhos e nariz
Tenho boca e meu sorriso!

Tenho língua e meu queixo
Tenho pescoço e meus seios
Meu coração e minha alma
Minhas costas e meu sexo!

Tenho braços e minhas mãos
Tenho dedos e minhas pernas
Tenho pés e meu dedão
Tenho fígado e meu sangue!

Eu tenho a vida!
Tenho minha liberdade!
Eu tenho a vida!
Eu tenho a vida!
E vou mantê-la!
Eu tenho a vida!
E ninguém me tira!
Eu tenho a vida!

Nas entrelinhas dessa canção, que é um forte e emocionante protesto social, há igualmente um elogio ao corpo como realidade pessoal, inalienável e intocável.

A liberdade de cantar, de pensar e dizer o que se pensa é o mais precioso bem. As dificuldades e carências, na visão de Nina, provocam uma resposta corajosa: "Eu tenho a vida! Tenho minha liberdade!".

Referências

ALDERSEY-WILLIAMS, H. *Anatomias: uma história cultural do corpo humano*. Tradução de Waldéa Barcellos. São Paulo: Record, 2013.

ALEIXO, F. M. *Corpo-voz: revisitando temas, revisando conceitos*. Jundiaí: Paco Editorial, 2016.

ALVES, R. *Pimentas: para provocar um incêndio, não é preciso fogo*. São Paulo: Planeta, 2012.

CÂMARA CASCUDO, L. da. *História dos nossos gestos*. São Paulo: Global, 2003.

CHEVALIER, J. *et al. Dicionário de símbolos*. 27. ed. Tradução de Vera da Costa e Silva. Rio de Janeiro: José Olympio Editora, 2015.

CRARY, J. *24/7: capitalismo tardio e os fins do sono*. Tradução de Joaquim Toledo Jr. São Paulo: Ubu Editora, 2016.

DAHLKE, R. *Desintoxicar e relaxar: caminhos naturais de purificação*. Tradução de Zilda Hutchinson Schild Silva. São Paulo: Cultrix, 2006.

DAHLKE, R. *O jejum como oportunidade de recuperar a saúde*. Tradução de Zilda Hutchinson Schild Silva. São Paulo: Cultrix, 2006.

DAHLKE, R. *A doença como linguagem da alma: os sintomas como oportunidades de desenvolvimento*. 7. reimp. Tradução de Dante Pignatari. São Paulo: Cultrix, 2007.

DAVIS, W. *Barriga de trigo*. Tradução de Waldéa Barcellos. São Paulo: WMF Martins Fontes, 2019.

DEMO, P. *Ser professor é cuidar que o aluno aprenda*. Porto Alegre: Mediação, 2004.

ENDERS, G. *O discreto charme do intestino: tudo sobre um órgão maravilhoso*. Tradução de Karina Jannini. São Paulo: WMF Martins Fontes, 2018.

FERNANDES, M. *Guia Millôr de filosofia: o livre pensar*. Rio de Janeiro: Nova Fronteira, 2016.

FONSECA, R. *Amálgama*. Rio de Janeiro: Nova Fronteira, 2013.

FRANCIS, G. *Da cabeça aos pés: histórias do corpo humano*. Tradução de Maria Luiza X. de A. Borges. Rio de Janeiro: Zahar, 2017.

FREITAS-MAGALHÃES, A. *A psicologia das emoções: o fascínio do rosto humano*. Porto: Edições Universidade Fernando Pessoa, 2013.

FREITAS-MAGALHÃES, A. *O poder do sorriso: origens, efeitos e teorias*. Porto: FEELab Science Books, 2013.

GIKOVATE, F. *Deixar de ser gordo*. 7. ed. rev. São Paulo: MG Editores, 2005.

GRÜN, A. *Viver com saúde de corpo e alma*. Tradução de Carla Koch. Petrópolis: Vozes, 2016.

HERCULANO-HOUZEL, S. *A vantagem humana: como nosso cérebro se tornou superpoderoso*. Tradução de Laura Teixeira Motta. São Paulo: Cia. das Letras, 2017.

HILST, H. *132 crônicas: cascos & carícias e outros escritos*. Rio de Janeiro: Nova Fronteira, 2018.

HITCHENS, C. *Últimas palavras*. Tradução de Alexandre Martins. São Paulo: Globo, 2012.

KELEMAN, S. *Anatomia emocional*. 5. ed. Tradução de Myrthes Suplicy Vieira. São Paulo: Summus, 1992.

KNOPLICH, J. *Viva bem com a coluna que você tem*. 32. ed. Barueri: Manole, 2016.

LARROSA, J. *Esperando não se sabe o quê: sobre o ofício de professor*. Tradução de Cristina Antunes. Belo Horizonte: Autêntica, 2018.

LE BRETON, D. *Antropologia do corpo*. 4. ed. Tradução de Fábio dos Santos Creder. Petrópolis: Vozes, 2016.

LISPECTOR, C. *Um sopro de vida (pulsações)*. Rio de Janeiro: Rocco, 1999.

MAURETTE, P. *El sentido olvidado: ensayos sobre el tacto*. Buenos Aires: Mardulce, 2015.

MENDONÇA, J. T. *A mística do instante*. São Paulo: Paulinas, 2016.

MIRANDA, E. E. de. *Corpo: território do sagrado*. 8. ed. São Paulo: Loyola, 2014.

MONTAGU, A. *Tocar: o significado humano da pele*. Tradução de Maria Sílvia Mourão Netto. São Paulo: Summus, 1988.

MORAES, V. de. *Para uma menina com uma flor*. São Paulo: Cia. das Letras, 2009.

MURAKAMI, H. *Do que eu falo quando eu falo de corrida*. Tradução de Cássio de Arantes Leite. Rio de Janeiro: Alfaguara, 2010.

MORSCHITZKY, H; SATOR, S. *Quando a alma fala através do corpo: compreender e curar distúrbios psicossomáticos*. Tradução de Lorena Richter. Petrópolis: Vozes, 2013.

PALLASMAA, J. *Os olhos da pele*. Tradução de Alexandre Salvaterra. Porto Alegre: Bookman, 2011.

PENNAC, D. *Diário de um corpo*. Tradução de Bernardo Ajzenberg. Rio de Janeiro: Rocco, 2017.

PERCIVALDI, E. *A vida secreta da Idade Média*. Tradução de Leonardo A. R. T. dos Santos. Petrópolis: Vozes, 2018.

PERISSÉ, G. *Introdução à filosofia da educação*. Belo Horizonte: Autêntica, 2008.

PERISSÉ, G. *Quem ensina sempre aprende*. 2. ed. São Paulo: Página 3, 2019.

PROUST, B. *Petit géométrie des parfums*. Paris: Editions du Seuil, 2006.

SACKS, O. *Enxaqueca*. Tradução de Laura Teixeira Motta. São Paulo: Cia. das Letras, 1996.

TUNDISI, J. G.; TUNDISI, T. M. *A água*. São Paulo: Publifolha, 2009.

VIDAL, M. *Ética da sexualidade*. Tradução de Maria Stela Gonçalves. São Paulo: Loyola, 2002.

YALOM, I. D. *Quando Nietzsche chorou*. Rio de Janeiro: Ediouro, 1995.

Projeto da coleção

A coleção O valor do professor, concebida por Gabriel Perissé, é composta por 12 títulos, que abrangem diversas dimensões da realidade profissional dos professores e gestores educacionais:

Uma pedagogia do corpo	Corpo
Educação e espiritualidade	Espiritualidade
Penso, logo ensino	Inteligência
Leituras educadoras	Leitura
Falar bem e ensinar melhor	Oratória
Professores pesquisadores	Pesquisa
Convivência, política e didática	Política
Liderança: uma questão de educação	Liderança
Educação e sentido da vida	Sentido da vida
Educação financeira e aprendedorismo	Dinheiro e trabalho
As virtudes da educação	Ética
Ensinar com arte	Estética

O projeto editorial conjuga-se a um programa de formação docente continuada, individual ou coletiva, adaptável às condições concretas de uma escola, de uma universidade, de uma rede municipal de educação, de um sistema de ensino.

Baseada nos parâmetros e princípios da educação humanizadora, a formação integral e contínua propicia a nossos professores a autocompreensão e o decorrente aperfeiçoamento pessoal e profissional.

A proposta completa consiste em abordar os temas acima, ao longo de um a dois anos, em oficinas e/ou palestras, para que a reflexão em grupo sobre a realidade profissional dos professores leve à adoção consciente de atitudes que renovem pessoas e ambientes.

Informações adicionais

    site www.perisse.com.br
 lattes http://lattes.cnpq.br/4420556922540257
e-mails perissepalestras@uol.com.br
            lerpensareescrever@hotmail.com
            gentejovemeducacional@gmail.com

Este livro foi composto com tipografia Adobe Garamond Pro e impresso
em papel Off-White 70g/m² na Formato Artes Gráficas.